療心圖書館

小鎮圖書館長告訴你
閱讀改寫人生，
遇見幸福的秘密

彭冠綸（館長小編）——著

聯名推薦（依姓名筆劃排列）

- **于美人**／知名主持人、作家
- **大師兄**／《火來了，快跑》作者
- **火星爺爺**／企業講師、作家
- **王蘭芬**／作家
- **瓦基**／「閱讀前哨站」站長
- **羊咩老師**／《上一堂人生國文課》作者
- **何則文**／TYCIA秘書長
- **吳念真**／知名導演
- **吳家德**／NU Pasta總經理、職場作家
- **吳淡如**／知名主持人、暢銷作者
- **李貞慧**／閱讀推廣人
- **李郁琳**／臨床心理師、作家
- **李家雯（海蒂）**／諮商心理師
- **李惠貞**／獨角獸計畫發起人
- **沈芯菱**／教科書人物、草根博士、希望工程執行長、總統教育獎得主
- **尚瑞君**／作家、講師

- **林薇 Vivi**／小紅帽 With Red、小紅厝月經博物館創辦人
- **芬妮 Fannie**／《練習不聽話》作者、閱讀推廣人
- **洪進益**／澎湖縣石泉國小教師、星雲教育獎典範教師
- **胡展誥**／諮商心理師
- **張玲瑜（Taco 老師）**／思辨推手
- **張美蘭（小熊媽）**／親職、繪本作家
- **陳志金**／重症醫師、《ICU 重症醫療現場》作者
- **陳志恆**／諮商心理師、暢銷作家
- **陳特凱**／雲林縣土庫鎮鎮長
- **黃光文**／國立家齊高中教師
- **楊斯棓**／醫師、《人生路引》作者
- **溫美玉**／溫老師備課 party 創始人
- **詹慶齡**／名人書房主持人
- **廖彩杏**／「有聲書英文學習法」創始人
- **趙胤丞**／《小學生高效學習原子習慣》作者、高效人生商學院 Podcast 共同主持人
- **劉安婷**／為台灣而教 創辦人暨董事長
- **慧玲（Lynn）**／「從我開始的關係功課」Podcast 主持人
- **歐陽立中**／「Life 不下課」主持人

- **蔡淇華**／台中市立惠文高中圖書館主任
- **蔡詩萍**／作家、主持人
- **鄭俊德**／閱讀人社群主編
- **鄭緯筌（Vista）**／「我愛寫筆記」臉書社團創辦人
- **鋅鋰師拔麻**／臨床心理師
- **整理鍊金術師小印**／《財富自由的整理鍊金術》作者
- **戴逸群**／亡牌教師
- **魏瑋志（澤爸）**／親職教育講師
- **羅怡君**／親職溝通作家與講師
- **羅鈞鴻（小虎）**／《有溫度的溝通課》作者
- **關勝周**／雲林縣土庫鎮土庫國小校長
- **蘇明進（老ㄙㄨ老師）**／國小教師、親職作家

各界好評（依姓名筆劃排列）

・**火星爺爺**／企業講師、作家

收藏故事的圖書館，竟有那麼多動人故事。謝謝館長寫下。現在這些故事，也可以收藏進圖書館，以及你的書架。

・**瓦基**／「閱讀前哨站」站長

館長小編以閱讀的力量為樂譜、真誠樸實的文字為音符，彈奏出一段交織了師長和孩子的動人篇章。這是一間令人為之嚮往，乘載了溫暖、指引和希望的圖書館。

・**何則文**／TYCIA 秘書長

館長帶來的人與人之間溫暖的鄉土故事讓台灣這片土地最美麗的風景，躍然紙上，透過她雋永的文字刻劃，把這些動人的點點滴滴，呈現在我們的眼前。相信這些故事，可以為你帶來歡笑跟感動的淚水，打開這本書，你將會看見前所未見的生命圖書館。

・**沈芯菱**／教科書人物、草根博士、希望工程執行長、總統教育獎得主

每個人都是一座圖書館，十分感動，在摯愛的家鄉有這座暖心圖書館，閱讀的不僅是書，更是一個個生命故事！

・**尚瑞君**／作家、講師

圖書館是社區資源中心，也是校園的延伸，兩個兒子從小跟我穿梭在圖書館藉由閱讀擴展視野也讓想像突破框架，現在才會是熱衷學習的高中生。讓專業的館長小編帶我們重

新認識圖書館，發揮閱讀的力量，成就每一個向上、向善，不斷進步與優化的智人。

• **林薇 Vivi**／小紅帽 With Red、小紅厝月經博物館創辦人

閱讀，不只讓我們幸運地，能透過他人的眼睛，認識不一樣的世界，更讓我們能在這個高速的時代，保留一些與自己相處的時間。

• **芬妮 Fannie**／《練習不聽話》作者、閱讀推廣人

用愛與文字編織的社會安全網，賦予圖書館全新的意義。願天下的小孩與內在小孩，都能在療心圖書館找到屬於自己的光。

• **李郁琳**／臨床心理師、作家

「在圖書館工作，我們服務的不是書，是人。」光是這個起心動念，就讓我感動萬分。人與人之間的緣分與溫暖，靠著小鎮圖書館建立起善意的橋樑。這本書說的不只是過去的故事，而是一個又一個的愛的現在進行式。

• **李家雯（海蒂）**／諮商心理師

小編是她對自己的謙稱，館長是我們對她的感佩。讀著館長小編的文字，體悟在療心圖書館裡，平凡也不凡的人生風景，輕柔溫徐地接住每一份在地的情誼與渴望文字的靈魂，灑落在胸口的暖意，後勁十足。

• **胡展誥**／諮商心理師

她用嚴謹的態度面對工作，用無盡的創意讓閱讀與人更靠近，然後，也用柔軟的心迎接

每一個走進圖書館的讀者。而那些發生在圖書館裡暖心又感動的相遇，都寫在這本書裡。

• **張玲瑜（Taco 老師）**／思辨推手

非常喜歡館長小編通透的筆觸，她喚醒了大家對於解憂療心的角落的內在渴望！

• **陳志金**／ＩＣＵ醫生

館長精彩示範「在閱讀裡，我們都可以成為更好的人」、「無論在什麼位置，我們都可以選擇當一個更有溫度的人」。

• **陳志恆**／諮商心理師、暢銷作家

一個地方的圖書館，可以是化外之地，也可以是知識中心。館長小編用心經營小鎮上的圖書館，不再被動地等待民眾上門，更積極辦理活動、行銷推廣，更讓圖書館成為弱勢孩子的支持網絡之一，使圖書館的價值發揮到極致。這本書記錄了館長小編的圖書館日常，字裡行間有滿滿溫暖，讀來感動又療癒。

• **陳特凱**／雲林縣土庫鎮鎮長

「它」肩負著改變未來的力量，這股力量是知識的力量，從改變孩子開始到改變一個社區、鄉鎮、甚至是一個國家；「它」有如同滴水穿石的力量，改變的力量就從這裡開始——「它」的名字叫「圖書館」。

在此由衷的感謝冠綸館長為鎮民所做的付出，雖然小鎮只有2萬7千多人，亦是一份服萬人之務、造萬人之福的工作。書裡面的每個故事皆是館長精心策劃的傑作，極盡所能

讓圖書館發揮最大的效益，小館長大力量，推薦一本值得品閱的好書《療心圖書館》。

• **黃光文**／國立家齊高中教師

如果現實讓你覺得無能為力，那你一定要來看《療心圖書館》。一個平凡的小鎮圖書館館長，怎麼一次又一次用行動，接住並改變這些的孩子，因為是真實的案例，加上作者本身閱讀口味非常豐富，所以文字的畫面感、層次感、豐富度都是不容錯過的好作品。

• **詹慶齡**／名人書房主持人

當愛與善意注入空間，小鎮圖書館不再只是存放知識的所在，它長出了自己的故事，熱血館長的暖心之作。

• **廖彩杏**／「有聲書英文學習法」創始人

"When in doubt, go to the library." J.K. Rowling

感謝冠綸館長，讓麻瓜們在療心圖書館裡找到指點生命疑惑的解方。

• **趙胤丞**／《小學生高效學習原子習慣》作者、高效人生商學院 Podcast 共同主持人

日本有《解憂雜貨店》，台灣有《療心圖書館》。文學巨擘泰戈爾在《用生命影響生命》說過：「把自己活成一道光，因為你不知道，誰會藉著你的光，走出了黑暗。」彭冠綸（館長小編）就是讓自己活成一道光的最佳典範。誠摯推薦《療心圖書館》。

• **歐陽立中**／「Life 不下課」主持人

詩人波赫士曾說：「如果真有天堂，應是圖書館的模樣。」在《療心圖書館》，你會看到閱讀最美麗的風景，不僅來自書頁翻飛，更來自館長小編用溫暖悉心灌溉。

• **鄭俊德**／閱讀人社群主編

這本書讓我看見了圖書館裡不只有大師智慧，更可以有愛，一個讓心寄託的好地方。

• **Vista 鄭緯筌**／「我愛寫筆記」臉書社團創辦人

AI時代來臨了，資訊科技的發展一日千里。但是，這一切無法取代人們的創造力與濃密情感。很高興可以從館長小編的大作之中，領略人世的溫暖與美好！

• **戴逸群**／亡牌教師

三寶媽咪館長用心照亮小鎮的圖書館，讓圖書館成為小鎮孩子們最暖心的避風港。

• **羅怡君**／親職溝通作家與講師

《療心圖書館》不只是小鎮真實故事，也是館長自我學習與成長的身教紀錄；讀書也讀人、聊心也療心，實踐將閱讀之光照亮每位願意踏進圖書館的人。

• **關勝周**／雲林縣土庫鎮土庫國小校長

看了「療心圖書館」，猶如喝了一碗心靈雞湯，書中一則則感人故事，激發了人性光輝，觸動了閱讀動力，從這一本書中，您將可以聯結更多更多的好書。

目錄

第2章 療心圖書館的秘密——來圖書館上一堂閱讀課

第6章 成為你想看到的改變

推薦序（一）

突破重圍
做一件只有你做得到的事

雲林縣長／張麗善

閱讀這本書，讓我想起了去年底就職典禮的感動時刻。當時正值世界盃足球賽結束，在梅西的帶領下，阿根廷獲得最後的勝利。

梅西患有生長激素缺乏症，也就是我們俗稱的侏儒症，但他從未放棄他熱愛的足球。儘管每天都得打生長激素，需要比別人更多的練習。他都選擇努力不懈、勇敢面對，成就了今天我們所知道的梅西。

雲林和梅西很像，我們都沒有先天的優勢，但我們可以靠著我們的用心、我們的努力去改變現況，讓雲林有上場的機會，有發光的時刻。

冠綸書中有一段話，令我非常感動：「沒有不是一份限制，而是一份禮物。」

雲林雖然資源有限，但我們依然想盡辦法突破重圍，在「雲林上場」的核心概念與目標下，無論是交通建設、產業發展、社會福利、財政改善、觀光旅遊等方面，都看見我們努力的施政成果。

我在冠綸身上看到，雖然只是個圖書館長，卻能在原本的業務範圍之外，想辦法關心我們的孩子，想辦法和學校和社區連結，想辦法透過社群讓圖書館被看見。

二〇二二年停課不停學期間，我也曾造訪土庫鎮立圖書館，關心那些到圖書館使用電腦上線上課程的孩子。深感每一個鄉鎮都有一間圖書館，如果每一間圖書館都可以成為孩子安全的去處，成為父母的後援，就能讓圖書館發揮閱讀之外的價值。

書中提到：「做一件只有你做得到的事。」

我樂見有更多同仁，不需要透過長官和上級的業務交辦，而是透過自身在工作現場的貼身觀察，看見民眾實際的需求，主動提供民眾需要的協助，真正展現為民服務的價值。

我在這裡要肯定雲林縣每一位圖書館長和館員為推廣閱讀所做的努力。雲林縣的公共圖書館不僅推廣閱讀，奠定知識的基礎；更陪伴我們的孩子成長，讓孩子在圖書館裡不僅遇見書本，也遇見願意幫忙和協助的大人。

祝福閱讀這本書的每位讀者，都可以在限制中看見突破的可能，在困境中看見自己生命的成長。當我們都找到那一件只有自己可以做的事，在「雲林上場」的大日子，你會發現自己也在場上。

推薦序（二）

讓圖書館發光的人
圖書館是社區的重要力量

國家圖書館／曾淑賢 館長

我曾經在為研發飛彈、火箭、飛機、核能、彈炮人員提供資料的科技專門圖書館工作；也曾經在為研究憲政體制，制定國家大法的國民大會代表提供世界各國資料的社會科學圖書館工作。

當然，大家熟知的為大眾提供日常生活、閱讀、學習、休閒、探索、創新，提供養分、機會和場域的公共圖書館，更是我覺得很有成就感的服務場域；而目前為國家文獻提供完善典藏環境，並為出版者、國內外研究人員提供多元豐富館藏資料，以及為一般民眾規劃和提供學習增能、文藝素養及各種體驗機會的國家圖書館，則是能夠在國家的軟實力外交上，發揮很大的作用。

但是，一個很小型的鄉鎮圖書館，空間、人力、經費資源都很有限，又能扮演什麼角色，帶給地方民眾什麼樣的養分，為地方創造什麼樣的機會？

今年在一場審查會上，建議某鄉鎮長規劃設計一個能帶給地方改變的圖書館，而不是傳統的圖書館空間；但那位鄉鎮長大聲說，「現在沒有人到圖書館是為了獲取知識的啦」。

此刻我正坐在哈佛大學的會議廳，參加國際研討會，看著會場內為人類的永續發展，努力研發的學者專家，思考著鄉鎮圖書館的角色……帶著冠綸館長的書稿出國，希望為她出書，寫一些鼓勵的話（寫一些感想）。

冠綸館長的文筆溫暖簡練，一篇篇短文，一個個動人的故事；道不盡她的焦慮急切，說不完她的貼心善心。

她讓我們知道，即使在鄉鎮圖書館，亦能投入閱讀推廣、提供學習、給予機會、關心弱勢，帶給社區幸福。很多人看她的臉書分享，感動她的熱力，也看到鄉鎮圖書館的重要性。

其實，我們並不熟；有時候，線上線下，我是粉絲；有時候，台上台下，我是講師。但她像是老朋友，因為，我們做同樣的事情；就像一對志同道合的老朋友。

我曾經是一名公共圖書館的推廣和兒童服務館員、也曾經是分館主任，每天要做的事情很多，說故事、辦活動、借還書、整理書，當然也要維護清潔，每周吸一次地毯，還要在自修室假扮讀者抓小偷；雖然忙碌，但樂在其中，甚至很享受。

我們從冠綸書中的故事，看到圖書館的價值，看到：

圖書館對社區的影響；
圖書館對家庭的扶助；
圖書館對老幼的重要；
圖書館對社會的貢獻。

很高興出版社看到這些，願意為她出書。希望透過這一本書，傳遞圖書館的價值，讓更多人看到圖書館存在的意義和價值。

比爾蓋茲曾說：「培養出我今日成就的，是我家鄉的一個小圖書館。」

希望這孩子變成昆蟲學家的那天，也會記得這間小小圖書館。

我也希望透過這本書，讓社會大眾知道：

閱讀絕不是為了升學階段而存在，而是為了人生的每個階段存在。

希望透過這本書鼓勵更多的圖書館員，讓他們知道自己可以做的事情很多；讓他們了解自己透過工作、服務，可以帶給大人小孩的幫助和影響；也讓他們知道社會上很多人肯定圖書館對社區的影響。透過這樣的了解，透過這些故事的感染，讓全國的館員更願意全心全意投入，為台灣的未來貢獻心力。

希望地方政府注意到鄉鎮圖書館的能量，選用適合的人選，一定可以為地方大大地加分。也希望地方政府注入更多的經費人力到地方圖書館。

感謝鎮長看見閱讀的價值，看見圖書館的重要性。沒有將圖書館長當成一個誰來當都沒差的職位，而是把適合的人放在適合的位置上，讓小鎮圖書館可以在全國發光發熱。

希望圖書館事業的主管機關，能看到鄉鎮圖書館的能量，加碼重視各地的公共圖書館；透過全國性的政策計劃及補助，讓每個地方的圖書館都能夠成為地方改變的力量，也是影響孩子未來的力量。

希望在台灣的每個角落，都有像冠綸這樣的圖書館員；都有帶給民眾幸福的圖書館。

希望大家都能在圖書館遇見幸福；
因為圖書館，感覺生活的美好，
因為圖書館，獲得知識的能量，
因為圖書館，成就自己的未來。

本書幾乎每一篇都有金句，相信這些金句，能讓更多圖書館員，得到啟發，興起「有為者亦若是」的念頭，讓更多人看到圖書館的價值。

• 不要小看自己的工作，如果願意為愛多走一哩路，為讀者選一本書。這本書就像是汪洋中的浮木，雖然人生依舊有風浪，依舊漂泊不定；但他手上的浮木，那一本書，會陪著他度過。

• 如果無法辨別讀者的需要和感受，那就選擇當一個善良的人。讓圖書館成為幸福的驛站，在這裡喘口氣。

這本書書後附了「館長選書：給老師、家長和孩子的好書推薦」，相信這些書能引導孩子找到更多的好書；提供家長和老師為孩子選書時參考。

我相信，一本書會帶孩子找到另一本書。

推薦序（三）

走進療心圖書館，閱讀館長小編的小鎮圖書時光

台中市立圖書館／曾惠君 館長

緣分就是如此奇妙。我和館長小編——冠綸相識於小鎮老市場的活動，又同期各因一紙派令踏入圖書館領域，她在土庫小鎮擔任館長，我任職於雲林縣政府圖書資訊科科長，當時我們一起在雲林縣公共圖書館推動閱讀的道路奔馳著，從管理圖書館，轉換經營圖書館，到圖書館讓我們共同成長。

冠綸每每在閱讀新點子誕生、設計新海報、推廣閱讀新梗圖、獲出版社邀約及上電台宣傳，總是立刻與我分享喜悅，我總可以第一個獲知好消息，不僅替冠綸在

另一頭開心尖叫，還會請她幫忙分享我在縣政府所要推動的閱讀活動，互相合作。

這一切一切療癒及鼓舞著同在公共圖書館工作的我，我想對冠綸說：「謝謝你總讓我一起成長。」深感在公共圖書館工作真的很幸運，有同心齊力的圖書館伙伴們無限幸福。

冠綸熱愛圖書館，她因想留在圖書館領域，多次婉拒長官提拔的晉升機會，每每看見她出席各式講座及大小會議，總是不斷聆聽與書寫。她記載著家鄉小鎮圖書館的日常，每一則動人療心的故事，是她心思細膩地觀察著來到圖書館的孩子們的需求，她讓孩子們愛上圖書館，引發更多人走進圖書館。

這一本書，亦讓身為大人的你我自省成為一個讓孩子信任的大人為何如此重要，冠綸讓圖書館成為孩子安心的去處，她用雞婆、多問一句的陪伴關懷，開拓有別以往的共讀力量，引領思考用閱讀再一次陪伴孩子長大，非常推薦大人、家長讓閱讀成為親子溝通的橋樑、織出屬於你和孩子的閱讀網。

冠綸打破本位主義、走出小鎮圖書館、主動出擊，小鎮圖書館此時成為通往全世界的平台，串連起小鎮及小鎮外的世界。

現在，衷心邀請你我走進療心圖書館，閱讀館長小編的小鎮圖書時光。

推薦序（四）

不只是日常記事 是召喚善念的職場實踐

TVBS新聞部副總經理、《一步一腳印 發現新台灣》主持人／詹怡宜

會知道館長小編，應該是因為她在疫情期間分享的故事，和那張小兄弟在圖書館裡借用電腦上課背影的爆紅照片。

即使我是新聞台主管，也說不準一個故事通常是經過哪些化學變化能突然爆紅起來。通常能激起網友們分享的熱情，是基於一種能理解認同的價值。以當時的社會氣氛，普遍對疫情帶著未知的恐懼、對遠距教學成效的集體焦慮時，突見有暖心雞婆公務員主動延長電腦使用時限，讓穿著便服的鎮上孩子順利在圖書館上課，小

弟弟也能在旁安靜閱讀。一張照片呈現的故事情節，讓人從全面擔憂的情緒中看見單點突破，忍不住想起立鼓掌。

館長小編的分享成功召喚出網友們心中的善意，透過轉傳分享擴散疫情中相互扶持的價值，讓擔心教學現場的人們鬆了一口氣，也讓社會的整體焦慮獲得些許安慰。

讀這本書才知道，原來館長的日常充滿這樣的故事。因為她能觀察、能分享、很會說故事，特別的是，她的文字有勾出人心中善念的能力。

「圖書館不只是存放故事書的地方，而是創造故事的地方。」

「但願用我一點點的善意，加上一點點的雞婆，成為這些孩子生命中的光。」

忍不住羨慕起她的工作。當個小鎮圖書館長多好，接觸的大多是可愛純樸的孩子吧？雲林土庫小地方，工作壓力應該不大吧？館長應該可以整天安安靜靜看書？

在地方上推廣閱讀，會是件愉快的事吧？

但讀完書會發現，重點不只是圖書館館長這個工作，彭冠綸館長呈現的是面對工作的態度與方法。

她不只是個館長、也是分享推廣的小編、是同事的激勵者、是圖書館專業的持續學習者、閱讀理念的傳道者、是小鎮居民的書本啟蒙契機。因為她認真把這個工作的價值與意義想透徹了，她做的事不是完成土庫鎮圖書館長的「職務內容」，而是思考圖書館的價值、確認服務對象是人之後，重新定義這份工作的內容與優先順序。所以可以為孩子主動延長電腦時限、載等不到家人的孩子回家、讓自己斜槓做海報、學圖書館影片剪輯……。

我相信它適用於所有職場。當大部分人的職場狀態是「照著既定步驟，處理眼前的問題」時，順著彭冠綸館長的文字分享，重新自己思考工作的意義，是件有意思的嘗試。例如我，一個是新聞台主管，我工作的終極意義？我為自己找到的定位？我想看到的改變？

所以這本書不只是館長的日常記事。透過小鎮館長的生活分享，感受到地方的生活點滴與閱讀氣息，並親自示範如何把閱讀的內容落實在工作態度與生活中，藉著表達與分享，實踐自己的閱讀理念。她的方式很有說服力，讓人相信閱讀的力量。

這本書讓我想走進附近圖書館看看、想更認真更多閱讀。她勾出我們心中的善念，也想在自己的職場或能力範圍，做點有意義的事。

推薦序（五）

讓療心圖書館給你光

《從讀到寫》作者、國小教師／林怡辰

認識冠綸（館長小編）在一次非常特別的場合。

有次要到雲林演講，收到冠綸的訊息，她自我介紹是公務員，和我一樣是三寶媽，當天會特地請假來參加我的講座，我當時不以為意，只是好奇這位媽媽怎麼這麼認真？

沒想到，「這麼認真」一直變成「竟然這麼認真」、「沒想到可以這麼認真」……演講結束之後，我就收到她的筆記和發文，我寫的書她也都認真閱讀，越來越多次在講座場合遇見她，接著看她上電台分享、讀她的閱讀分享、互相交流、接受她的邀約到圖書館線上演講、看著她到國際閱讀論壇演講在台上發光……短短的，只是三年的時間。

讀書分享心得的人很多，但我好少見有人像冠綸這樣「玩真的」。有的人可能會覺得她傻，小鎮的圖書館館長，人力已經不足，書籍整理一堆，每年都有新書，需要辦理活動，公文核銷、讀者服務、臨時事件……一個人管一個圖書館已經焦頭爛額，可以把自己份內的事情做好已經很不簡單。但在書籍中，可以看到冠綸又「認真」，到圖書館上線上課的孩子遇到困難，館長小編挺身而出；家長忘記來接的孩子，館長小編陪著等、接送回家；逃課的孩子，館長小編聯絡學校；疫情比較平緩了，館長小編到處聯絡學校，幫縣內所有國小學生、國中國生辦理借書證；不會利用圖書館，找不到書籍，館長小編一張張投影片製作，一個個班級上課；下課開放圖書館，讓鄰近的學校孩子下課來借書，甚至連安親班補習班來借書箱，館長小編一樣和夥伴們一箱箱書選，一本本書送……

創立圖書館粉絲專頁，每天每天書寫文章，時間哪兒來，不會寫文章，館長小編學；邀請各大講師來圖書館演講，邀約、聯絡、甚至至做海報、直播軟體、報名瑣事，誰從出生就會？館長小編學：不會演講、不會分享、沒有上台經驗，館長小編學；在這些過程當中，沒有人告訴過冠綸這些是他的責任、可以這樣做、應該怎麼做，在書裡冠綸也是好幾次輕鬆的淡淡說出「是點子來找我」、「只是覺得可以這樣做而已」，但細究，這些龐大的工作量，中間的挫折和困難、不被理解和挫敗、還有工作和家庭的平衡，你我都知道，非有信念，怎能走這麼長遠的路途？

是無限賽局啊！推動閱讀，不必計較你的業績或我的借閱率，我們完成的，是讓更多孩子、更多民眾享受閱讀，在閱讀看見光。館長小編冠綸，從書裡找光找方法，然後看見在自己的工作上還有更多可能，不假外求，當責，樂於工作，在工作上創造你想看見的改變，館長小編用行動證明，在工作中也可以創造閃亮亮個人品牌，願景、使命，都擁有大家的信任和支持。

推薦序（六）

點亮孩子心中的光

《內在原力》系列作者、TMBA共同創辦人／愛瑞克

拜讀此書，屢屢讓我時光倒回到自己過去的經歷、深感共鳴。作者說：「圖書館不只是一個保存書的地方，而是一個讓書本和讀者產生連結的地方，讓讀者的人生和書本的故事交會的地方。」

回想我高中畢業、升上大學那年暑假，到當時的台中縣大里鄉立圖書館，辦了我人生中的第一張借書證。有了這座圖書館、這張借書證，感覺好棒，所有書都可以自由地看，有需要的話還可以借回家慢慢看！那個暑假，我就流連在那座圖書館，直到開學前夕我搬上台北，才告別了這段美好時光。

進入位在繁華首都的國立台灣大學就讀，學校附近有好多書店，店裡有形形色色不同領域的書籍，全部都很新，不是斑駁泛黃的舊書！隔年暑假，我再度回到大里鄉立圖書館，感覺全變了，覺得藏書好少、好舊、環境好簡陋。後來，我不再去了。那張借書證上從此也沒有再多任何一筆借書紀錄。

圖書館，就像媽媽一樣，在我們弱小的時候，她提供了一切、包容了我們；後來我們長大，開始覺得自己不太需要媽媽了，而她也漸漸老了。直到我們走入人生下半場，自己步入初老，才會懷念媽媽的美好。

作者說：「身為三個孩子的母親，身為一個圖書館長，我要拿我圖書館工作的幸運，讓孩子有機會愛上閱讀，成為孩子生命中的光。」我想，記憶中的那座大里鄉立圖書館，就像是我的母親，讓我著實愛上了閱讀、點亮了我生命的光。

此書作者所在的雲林縣土庫鎮立圖書館，或許就像是曾經在我生命中出現的那一座、改變了我一生的圖書館。或許它的外表樸實，藏書量也絕對比不上國家圖書館或台大總圖書館——但卻是可以讓孩子們愛上閱讀、改變他們一生的發源地。

作者說：「即使是地方的小小圖書館，也真的不要小看自己的每一分力量。覺得自己『只不過是』個小鎮圖書館的館員。在圖書館工作，我們服務的不是書，是人。」

我在二〇二一年十二月受邀到金石堂總部旁、台大附近的金石堂汀州店，受頒「年度風雲人物：星勢力作家」獎項。我上台領獎的得獎感言開頭說：「二十年前，我在台大念書，這是我最常來看書的地方，但我沒有錢買書，所以結帳的櫃台離我好遠。」

後來，我擔任了金石堂第一屆（二〇二二年上半年度）「愛書大使」，無償推廣閱讀，讓好書與好的作者能被更多讀者知道。我捐書給偏鄉學校圖書館，也捐給圖書資源較少的鄉鎮圖書館，合計達數千冊。其中，雲林縣共有二十個鄉鎮圖書館，都向我申請《內在原力》新書納入館藏，土庫鎮立圖書館也包含在內。二〇二二年下半年我受邀到雲林正心中學演講時，館長小編就是座上嘉賓，在現場全程聆聽。這就是我人生的故事，和這一座療心圖書館，以及館長小編交會的地方。

您手上的這本書，有著滿滿的動人故事，很建議與孩子們一起共讀，或許將點亮孩子們心中的光。

「把自己活成一道光，因為你不知道，誰會藉著你的光，走出了黑暗。請保持心中的善良，因為你不知道，誰會藉著你的善良，走出了絕望。」

——泰戈爾《用生命影響生命》

作者序

我是一位小鎮圖書館長

我是一位小鎮圖書館長，也是三個孩子的母親。我所服務的圖書館，讓小鎮連續三年選為教育部「全國整體閱讀力績優表現城市」。

這一切要回到四年前的某天，我即將接任圖書館長的工作。當時有人恭喜我，說圖書館的工作一定樂得輕鬆；也有人跟我說，圖書館不是多重要的單位，做得好不好，沒有太大的影響——還好，這些話我都沒有聽進去。

當圖書館長，並不是別人口中「輕鬆的差事」。我一個人負責管理整間圖書館，從活動規劃、講師邀請、圖書採購到設備維護……大小事情全包。與其說是館長，不如說是位「萬能館員」。

我們並非縣內最大、經費最多的圖書館，但我們用各種方式與校園和社區連結，包括積極地經營圖書館的臉書粉絲專頁，讓從來沒有走進圖書館的居民認識我們。

台灣的每個鄉鎮都有一間圖書館，圖書館一直被視為是理所當然的存在——雖然它存在，但卻沒什麼存在感。如果圖書館可以不只是閱讀，我們是不是就能做更多的事，讓大家的生命產生更多連結呢？

當館長的這些年來，我持續記錄在圖書館內發生的小故事，以及在推動閱讀上的工作心得。疫情期間，我寫下一篇又一篇關於「停課不停學」的小故事，描述孩子們是如何利用圖書館的電腦，讓自己能夠參與學校線上課程。

二〇二二年的停課和去年不一樣，二〇二一年是連圖書館都休館，今年是學校停課、圖書館正常開放。在停課的這段期間，我們發現有些孩子會在周間來到圖書館，使用圖書館的電腦上線上課程。

因為圖書館的電腦都有時間設定，得知這些孩子是特地來圖書館上線上課程，我就請館員把線上的座位系統關掉，讓孩子們不會上課上到一半被登出。

這是我圖書館工作的日常之一，我將這個小故事寫在我的粉專上，沒想到這篇文章開始瘋狂被轉載。隔天，各大電視台的新聞記者都出現在圖書館裡；到了當天中午，各大新聞台都播出了這則消息。

對我來說，這只是身為一個母親的將心比心。我有三個孩子，如果今天是我的孩子在圖書館裡遇到這個問題，我也希望會有一個好心的大人幫助他。起心動念，僅僅如此。

這件事讓我發現到：圖書館的價值不僅僅是閱讀，還能成為孩子在家庭、學校之外的一層安全網。我們可以做的，就是去接住那些家庭和學校漏接的孩子。

疫情停課期間，許多家長仍然需要工作。對家長而言，要兼顧工作和孩子的學習，真的是一件不容易的事。雖然教育部說萬一父母沒辦法照顧，依然可以送去學校。但我發現許多家長一方面擔心疫情，另一方面不想造成學校的困擾，大多選擇把孩子留在家裡自己照顧。

疫情迫使學校關上大門，但圖書館的大門依舊敞開。老師只能透過線上的方式看到學生，但在圖書館，我們可以直接接觸到這些孩子。

原來，圖書館真的可以做些什麼

除了提供電腦，調整時間設定，更重要的是：圖書館內有值得信任的大人，可以提供這些孩子幫助。

在孩子要上線上課程、找不到連結路徑的時候，我們可以協助他們打通電話問學校；在他們忘記帶課本的時候，可以陪他走一趟、回家拿課本。

在家長忘記來接送的時候，我們可以陪孩子多等五分鐘，打個電話回家等待父母來接。而對於住得比較遠，又是隔代教養的孩子，為了不讓年邁的阿嬤奔波，我則直接開車把孩子送回家，並且在車上叮嚀他：不可以隨便坐陌生人的車子。

在孩子上線上課上到很煩的時候，我們可以聽他抱怨上課多無聊，老師都在放影片。但在孩子線上測驗不會、轉頭向我們尋求解答的時候，則要忍住不可以給他提示（但其實，我也不知道答案）。

這些小小的舉動，看起來沒有什麼，但對孩子來說，可能是黑暗中的一道光。當父母、老師不在身邊的時候，有一個安心的去處，有一個值得信任的大人，可以幫助他們解決眼前的問題——這就是圖書館可以做到的事情。

這我體認到：即使是地方的小小圖書館，也真的不要小看自己的每一分力量，覺得自己「只不過是」一個小鎮圖書館的館員。在圖書館工作，我們服務的不是書，是人。

書裡面寫的故事是過去式，我們和讀者相處的點滴是現在進行式。不要小看自己所做的，因為我們的每一分善意，都可以成為孩子的光；每一分善意，也都能在孩子的生命中留下印記。

小鎮的圖書館大門，始終為需要的孩子們敞開。

前言

讓閱讀，成為照亮孩子的光

為台灣而教（TFT）創辦人劉安婷曾說：「你拿幸運做什麼？」

身為三個孩子的母親，身為一個圖書館長，我要拿我圖書館工作的幸運，讓孩子有機會愛上閱讀，成為孩子生命中的光。

一個地方，不能少了圖書館

比爾蓋茲曾說：「培養出我今日成就的，是我家鄉的一個小圖書館。」

管理圖書館，其實跟「輕鬆」的工作差了十萬八千里。但說真的，因為對於閱讀的熱愛，我還真的覺得甘之如飴。

下課十分鐘，看到孩子來圖書館借書；每逢週末，家長就帶著孩子來參加活動；開設線上課程，讓全台各地的學員們一起學習……這一切，在在說明了我們的工作是有意義、有價值的。你能想像一個沒有圖書館的地方，會是什麼樣子嗎？

羅振宇《閱讀的方法》一書中提到，「一個願意在書籍世界流連的閱讀者，他的任何行動都會觸發意外的相遇；遲早有一束微光會照亮他，讓他『突然淪陷』。他此後的一生，既能享受閱讀的快樂，又能得到閱讀的回報。閱讀將成為與他終身相伴的習慣。」[1]

一個人沒有辦法給出自己沒有的東西，沒有錢就給不出錢；沒有閱讀的熱情，當然也給不出推廣閱讀的熱情。

閱讀是生命的回音。生命中缺少什麼，就會讀到什麼；生命中困惑什麼，書本就會解答什麼。

《打造兒童的閱讀環境》一書中曾說到：「能自由自在依自己的心境，或許歡樂；或許悲傷，選擇自己想看的書，這其實是一件相當享受的事。（中略）……小孩子其實就跟大人一樣，他們也需要有這樣的機會，自己去找出適合他們的成熟度和個性的書。」[2]

而圖書館，正是提供閱讀環境的最佳去處。如果我們希望孩子有機會選擇自己想看的書，我們可以做兩件事：「給機會」和「給時間」。讓孩子有機會穿梭在書架間，讓孩子有時間選一本自己想看的書，如此一來，他們自然會找到通往閱讀之旅、屬於自己的一方天地。

每個當下，都是一份禮物

想到圖書館，我們第一個聯想到的是書，圖書館有很多書。然而，比這些書更有價值，更重要的是人。圖書館不只是一個保存書的地方，而是一個讓書本和讀者產生連結的地方，讓讀者的人生和書本的故事交會的地方。

某一年暑假，圖書館來了一個不愛看書的孩子，家人跟我們說，他從小就不愛看書，但是暑假沒地方去，所以就來圖書館。雖然他不愛看書，但他很喜歡來圖書館，因為館員們會陪他聊天，然後帶著他一起工作。他也會來敲館長室的門，看看我在做什麼。

兩個月過去，我發現他好像開始看書。開學之後，我看到他每天都來圖書館借書，而且呼朋引伴、找同學一起來。在他的身上，我看到推動閱讀，要從建立關係開始。當我們拉近與人的距離時，就可以拉近與書的距離。

「書本沒有腳，但是我們有。」我們可以想辦法走出去，我們可以多做一點什麼，我們可以走進孩子的生命。需要打開的不只是圖書館的大門，還有我們的心門。

在圖書館工作的我們，不僅僅只是個圖書館員。每個和讀者交流的present（當下），我們自己就是那份present（禮物）。

我想起陶璽特殊教育工作室創辦人曲智鑛在《天賦就是你的超能力》這本書中提到：「研究發現，孩子只要在成長過程中能遇見一位關心他的大人，一切就可能有轉機。每個人都有機會成為孩子生命中的重要他人，請不要忽視自身行動帶來的影響力。」[3]

相信自己的存在是祝福，相信自己的工作是有價值的。每一本借出去的書，每一場閱讀推廣活動，都帶著我們的善意和祝福，像一份禮物送進讀者的生命當中。

打開圖書館的大門，打開你的心門；活在當下的每一刻，我們都可以成為別人生命中的禮物。

成為帶給孩子故事的大人

關於擔任圖書館長，有一本書給我很大的啟發。我是何等的幸運，剛好有機會擔任圖書館長，而有些人則是用盡全力，花費了許多時間，才能一圓當圖書館長的夢想。

《最後抱他的人》這本書的作者許慧貞老師，曾獲教育部閱讀史懷哲獎，同時也是天下雜誌閱讀典範教師。她目前是國小教師和閱讀推動老師，並且擔任「新象繪本館」的館長。[4]

慧貞老師秉持對閱讀的熱愛，用自己的積蓄創辦了一間「小荳荳兒童圖書館」，結果一年後便吹熄燈號。但她沒有放棄，一路從私立小學，考上公立小學，成為一位國小老師。

圖書館的存在，就是讓全民有平等的機會流連在閱讀的世界。從0歲到99歲，在公共圖書館裡面都可以遇見一本書，讓讀者在書海中突然淪陷。看見自己不曾看見的，思考自己不曾想過的。這才發現世界比他想像中的還大，人生擁有無限可能。

過去可能我們可能沒有這樣的機會，但我們可以從現在開始，走進圖書館，打開一本書，等待那一束微光。

慧貞老師內心一直有個圖書館員的夢想，在因緣際會之下，接受了陳麗雲醫師的邀請，將教師工作從台北請調到花蓮，接下了花蓮「新象繪本館」館長職務。白天是學校的閱讀推廣教師，晚上是新象繪本館的館長。

身為公共圖書館的館長，我覺得自己何其幸運，能做自己喜歡的工作。讀完這本書，最令我感動的是老師用閱讀陪伴孩子的精神。她讓我看見什麼是「教育一個孩子，需要全村的力量」。從家庭、學校、到社區，我們每個人都有自己可以扮演的角色。

慧貞老師所做的，不是把一本書塞到孩子面前，不是看他們讀了幾本書，也不是看圖書館借出去了幾本書，而是透過陪伴孩子、用時間灌溉，「將書中的哲理金句種在孩子的心裡」。種下去的種子不會馬上發芽，我想這是我們覺得最氣餒的時候；但隨著時間過去，這些種子自然會綻放出美麗的花朵，收穫豐碩的果實。

我很喜歡老師引用了《第56號教室的奇蹟》這本書中雷夫老師說的一句話：「我相信，當我每天走進教室，我應該已經按下了改變世界的按鈕，我一直這樣確信著。」

對我來說，每天當我走進圖書館的時候，當我和這些孩子說話的時候，我也已經按下了改變世界的按鈕。

閱讀需要一個出發點，從一本書出發，讓一本書帶孩子找到下一本書。慧貞老師在書上提到：「誰說偏鄉的孩子不喜歡閱讀？他們只是少了機會，少了那個能帶給他們故事的大人而已。」

我期許自己能和老師一樣，成為那個可以帶給他們故事的大人。

成為照亮世界的光

本書記錄下當館長的點點滴滴，以及許許多多在圖書館發生的小故事——尤其是那些不會出現在評鑑資料中，卻能感動人心的圖書館日常。

本書同時也是一位小鎮圖書館長，要發給你的邀請函：你我都可以成為那個寫故事的人。希望這些美好的故事，不只在地方的小小圖書館發生，還能在更多地方發生。讓閱讀，成為照亮孩子的光；讓喜愛閱讀的孩子，成為照亮世界的光。

1 羅振宇《閱讀的方法：找到文明世界中，本該如此的我》（圓神，2022）。

2 艾登・錢伯斯《打造兒童閱讀環境》，P.58（天衛文化，2014）。

3 曲智鑛（Freddy），《天賦就是你的超能力：陪伴青少年認識自我，成就最好的自己》（商周出版，2023）。

4 許慧貞《最後抱他的人》（寶瓶，2020）。

4

第1章

在圖書館遇見的那些孩子

1-1

讓你可以好好上課

——就這樣一整個早上，他乖乖地坐在電腦前上課。

解除電腦設定，讓你好好上課

早上八點男孩出現在圖書館，他是圖書館的常客，六、日都會窩在圖書館裡面。他說這禮拜學校停課，要用電腦上學校的線上課程。既然是圖書館的熟客，自然非常清楚座位系統的使用方式和時間，他已經帶好借書證，準備到櫃台去登記。

「如果老師上課上一半，你斷線被登出了怎麼辦？」我問他。

「再去櫃台刷一次啊！」他笑笑地說。

「因為你今天是要上課，我會請館員叔叔阿姨把座位系統關掉，讓你可以好好上課。」我告訴他。

就這樣一整個早上，他乖乖地坐在電腦前上課。

他身旁有個小男孩，看起來只有幼兒園年紀，我幾乎沒見過他。原來這是他弟弟，因為停課，只好跟著哥哥來圖書館。當哥哥上線上課程時，他就自己在旁邊看書。

你會問：「大人呢？」我想他們應該是隔代教養的家庭，我只有見過他的阿嬤，他就這樣常常自己待在圖書館裡面，時間到了就由阿嬤接回家。

其實雖然學校停課，但如果家裡沒有電腦設備，或是沒有人照顧的話，還是可以選擇到學校去上學。但因為阿嬤擔心，就沒有讓他們前往學校，而是選擇讓他們到圖書館來，用圖書館的電腦上課。

我還在和男孩說話的時候，館員就已經開始幫他解除座位系統。我知道今天就算我不在場，館員們也會主動幫助他。

當我們自己成為榜樣的時候，館員看你怎麼做，就會跟著做。不只做好份內的事，而是選擇多做一點，為愛多走一哩路。看到館員們都主動為這些孩子設想，一起守護每個來圖書館的孩子，心裡就有不言而喻的感動。

圖書館，就是社區的公共資訊站

當時隨著疫情加劇，越來越多學校改為線上上課。

某一天下午，一位高高瘦瘦的高中男孩，背著背包、戴著口罩來到櫃台。他看起來很靦腆，小聲地開口問道：

「我可以用圖書館的電腦，上學校的線上課程嗎？」

我們告訴他當然可以，但又立刻想到一件事：我們的電腦都是登記使用，而且有時間限制。於是，我們詢問了這位同學課程的時間，他說他接下來幾天，整天都要待在圖書館裡面上課。

如果依照我們電腦的使用登記時間，他應該會一直被登出斷線。於是我們直接詢問他的學校，確認是線上課程需要後，便把其中一台電腦系統解除，讓他可以持續使用，不會中途被登出。

接下來的這兩天，我就時不時經過查看。看到他果然開著 Google Meet，戴上耳機很認真地上課。下課十分鐘時間，一群小孩在旁邊也不為所動。我去跟他聊天，才知道他並不住在我們所在的鄉鎮，但是住家附近的圖書館不讓他使用電腦，所以只好請媽媽騎車載他來這裡，多了好幾公里的路程。

我又看到他在翻閱圖書館的書，便主動詢問他有沒有借書證，並且告訴他現在借的書，在任何一個縣內的圖書館都可以還。

沒想到，這位高中生竟然還沒有借書證！我馬上把申請表給他，幫他辦了借書證，順便介紹「台灣雲端書庫」的電子書。當他發現所有的英文雜誌都可以在線上免費借閱的時候，眼睛睜得超大，好像發現了什麼天大的驚喜！

圖書館應該是一個人性化的地方，可以適度的調整，滿足每個使用者的需要。

不是每個家的孩子都有電腦可以上課，不是每個家的孩子都有網路可以上課。圖書館作為社區的資源中心，社區的公共資訊站，在這點小事上可以幫上忙，這就是我們工作的價值所在。

鏡頭外的幕後花絮

疫情迫使學校停課，但圖書館依然開放，於此期間，我用文字在粉專上記錄著在圖書館看到的點點滴滴。

或許大家從來沒有把停課這件事和圖書館聯結在一起，也沒有想過圖書館在停課不停學期間，其實有我們可以扮演的角色。

於是當文章發出後，開始不斷的被分享出去，媒體也聞訊而至。

一早圖書館電話不斷，各大媒體都來電，表示要過來採訪，我所能想到的每一間新聞台都來了。媒體紛紛關心他們有沒有電腦、有沒有網路，關心他們為什麼得到圖書館來上課。

採訪當天，他們訪問了一個正在上線上課程的孩子。她告訴記者，因為家裡有手足兩人，他們只向學校借了一台筆電，兩個人輪流使用，所以另一個人就必須到圖書館上課。

一開始媒體是聚焦在停課不停學期間，圖書館主動為來上課的孩子解除電腦的時間使用限制，給孩子一個安心上課的環境。然而，當記者們發現這位孩子是因為只和學校借一台電腦，另一個人沒有足夠的資源可以使用，才到圖書館來時，採訪的焦點開始轉移到別的地方。

記者開始聯繫學校，我聽見他們直接打電話給校長，詢問在「生生有平板」的教育政策下，怎麼會有孩子在停課期間沒有電腦、沒有網路可以使用呢？

當我意識到採訪焦點開始移轉的時候，便在第一時間親自到學校向校長和主任說明情況。這時候辦公室的老師才恍然大悟：「原來是我們學校的學生。」

我人還站在辦公室的時候，主任辦公桌上的電話響起，是上級機關打來的。因為看到新聞曝光，特地打來學校關切。孩子有沒有低收身分？是否為特殊境遇家庭？為什麼學校沒有提供孩子一人一台載具？為什麼沒有申請無線網路？我後來才知道孩子們除了可以跟學校申請平板電腦之外，連無線網卡都可以申請。

對圖書館界而言，這是美事一樁；對學校而言，卻是噩夢一場。

我連忙向學校的校長主任道歉，告訴他們我沒有想到事情會演變成這樣。平時圖書館原本就和學校有許多的合作和接觸，校長主任也都明白我的本意不是如此。

為了線上教學，學校可是做了萬全的準備。事先調查了需要電腦平板的同學，將學校的電腦平板借給他們帶回家使用；也調查的需要無線網卡的學生，提供申請無線網卡的資訊。學校如此用心，不外乎是希望當孩子不在校園的時候，在家也可以有同樣的學習效果。

善良是一種選擇

後來經由校方和孩子的家庭取得聯繫之後，才知道，原來孩子們知道可以一人申請一台電腦，但是他們覺得「想要把資源留給其他需要的人」。加上他們常常到圖書館來使用電腦，覺得到圖書館上課也很好，所以才選擇只跟學校借一台電腦，一個人在家裡上課，另一個人到圖書館使用電腦上課。

從孩子身上看到的善良，讓我內心非常感動，這讓我想起貝佐斯說過的一句話：「聰明是一種天賦，善良是一種選擇。」不管你我的天賦如何，我們都可以選擇成為一個善良的人。

而這兩個孩子也是善良的人。明明兩個人都需要用電腦，卻選擇把資源留給其他人，只借一台電腦回家。他們覺得反正圖書館常常來，輪流來圖書館也沒什麼不好。在圖書館有冷氣吹、環境清幽，更適合專心上課。

他們選擇把資源留給其他的人，而且並不因此感到匱乏，因為他們知道自己是一個有能力去給予的人。圖書館一個小小的故事，引起了這麼大的迴響，也是因為大家心裡都存在著「善的力量」。

「裂痕，是光照進來的地方。」這幾年遭逢的社會動盪，讓我們原本的生活出現了裂痕，當也讓我們看見彼此心中光明的那一面。只是太忙了，忘了它存在；走得太快了，忘了它還點亮著。

我們應該守護彼此心裡的亮光，將這些光集結在一起，產生更大的溫暖和力量，而不是用口水去吹熄它。無論是家庭、學校、圖書館，我們各司其職，在彼此的崗位上守護著我們的亮光。

1-2

讓我載你回家吧

——大雨中，沒有傘的孩子才會努力奔跑。

每隔一段時間，總會有一些孩子到了閉館時間等不到家人來接。通常這時候請孩子打個電話回家，聯繫一下，不久家長就會出現了。今天遇到的這個孩子不一樣，閉館時間到，他依然走出圖書館，我們以為他回家了。後來我發現他沒有回家，他只是知道要閉館了，自己先走出圖書館，走到門口外面去等家人來接。

遇到高年級的孩子，稍微跟他們聊一下之後，通常可以讓他們自己等待家長來接，沒有太大的問題。這天我不知道哪裡來的聲音，突然想要陪他一起等家長來接。圖書館的大門已經關上，我請館員下班回家，我陪這個孩子等一下。

因為快到用餐時間，我問他平常家裡誰煮飯，回家有沒有飯吃。

「平常都是阿嬤煮。」

「如果阿嬤沒有煮飯，你們是去外面買飯吃嗎？」

「如果阿嬤沒有煮，就是我去煮。」

「你會煮唷！」

「平常看阿嬤煮，就學會怎麼煮了。」

「如果是你煮，你都煮什麼？」

「看冰箱有什麼就煮什麼啊？」

「那你最常煮什麼？」

「蛋炒飯、炒肉絲、竹筍豆腐湯。」

因為還在等待阿嬤來接，加上我不諳廚藝，我請他告訴我料理的步驟。

「炒飯要先放蛋還是放飯？」

「要把蛋液和飯混和在一起再下鍋。」

「肉絲要怎麼處理呢？」

「先加醬油和糖醃一下。」

聽他說著下廚的步驟，可以感受到煮飯是他日常的一部分，而且他不覺得煮飯應該是阿嬤的事，他是這個家的一份子，他也可以煮飯給阿嬤吃。

過了十五分鐘，還是看不到阿嬤的身影。

「你平常等阿嬤都等多久？」

「不一定，有時候阿嬤會忘記。」

「阿嬤會忘記？」

「有時候阿嬤做一做其他的事情就忘記來接我。」

「那你等了多久，才會覺得阿嬤真的忘記了。」

「大概半小時。」

「那……當你發現阿嬤真的忘記來接你，你怎麼處理。趕快打電話給阿嬤嗎？」

「自己走回家啊！」

就我所知，他們家並不住在圖書館附近，距離圖書館還有兩、三公里的距離。我內心感到不捨，原來平常我只有看到阿嬤來接他的樣子，卻沒想過當阿嬤忘記來接的時候，他是怎麼一個人回家的。

夏天在豔陽下等待，冬天在寒風中等待。這孩子沒有怨言，也覺得自己走回家是理所當然的。他還告訴我要怎麼走小路，可以不用過大馬路，比較快回到家。

身為一個母親，這讓我心裡一直浮現一種不捨的感覺。我拿出手機，請他告訴我阿嬤的電話號碼，打電話跟阿嬤聯繫。

「阿嬤，挖洗館長啦！妳的孫子在圖書館等妳來載喔！」

「館長喔！金拍謝。我忘記了！我現在馬上去載他。」

這位阿嬤一個人要照顧三個孫子，但她只有一台摩托車。如果她來接這男孩，家裡的另外兩個孫子怎麼辦？眼看烏雲密布，似乎待會就要下大雨了，阿嬤騎車來又騎車回去，會不會剛好遇到滂沱大雨呢？考量後，我內心馬上做的決定。

「阿嬤，我直接載他回去就好。」

「好好好，拍謝啦！謝謝館長，麻煩妳。」

我跟男孩說：「我載你回家吧！」

男孩上車，我轉頭叮嚀他：「平常不可以上陌生人的車，今天因為你認識我，我也認識阿嬤，我跟阿嬤講過了，所以才可以上車回家。」

男孩說他知道，接著換我聽他說。

因為我不知道他家在哪裡，他要報路告訴我哪邊該左轉、哪邊該右轉。車子開著開著，慢慢駛出自己熟悉的街區，進入兩側都是矮房、都是田間小路。小小的一條路只有一線道，我內心祈禱對向不要有車過來。阡陌間我已經迷路，但男孩腦中的導航系統非常清楚，我們順利了抵達家門口。

這間房子在田中間，一條蜿蜒的小路上。我想起自己稍早問的愚蠢問題：「如果阿嬤沒有煮飯，你們是去外面買飯吃嗎？」

這種放眼望去都是田的地方，哪裡可以買便當？

我只是憑藉自己的生活經驗，理所當然地認為煮飯不是孩子的事，想要買飯走出門就有便當店。卻忘了不是每個家庭都住在可以馬上買到飯的地方，想要吃飽，唯一的方式是自己下廚煮飯。

停好車，我下車和阿嬤打聲招呼。阿嬤的笑容依然是這麼和藹從容，一點也不慌張。看來忘記接孫子這件事，絕不是特例，而是一種祖孫的日常。

向阿嬤和男孩說再見後，上車我趕緊打開導航機，因為我已經在阡陌中迷路，需要導航機的協助才能回到家。

「大雨中，沒有傘的孩子才會努力奔跑。」在男孩身上，我感受到這句話的意義。

館長日常

陪你多等五分鐘

「我陪你多等五分鐘！」

遇到圖書館到了閉館時間，但父母還沒來接的孩子，我會請館員先下班回家，自己留下來陪孩子一起等。通常孩子聯繫家裡的五到十分鐘後，家長就會來接。

某天有位女孩沒聯繫上家長，我本來想直接載她回家，但又擔心家長晚點來圖書館找不到小孩更擔心。還好，過一下子她的媽媽就來了。

我真的放心不下這些孩子，寧可陪他們一起多等一下。把圖書館的孩子，當自己的孩子。如果你是孩子的父母，相信你也會希望孩子可以遇到好心的大人可以幫忙他。將心比心，如此而已。

1-3

你的雞婆，是孩子的網

——圖書館像是無形的網，接住了這些逃離校園、無處可去的孩子。

一天早上，我從館長室走出來上洗手間，赫然發現有個穿制服的學生在書架間穿梭。我看看手錶，現在不是下課時間，孩子應該不會在這時候出現在圖書館才對。

接著我又在最後一個書櫃的後面，看到了地板上的雜誌，和裝著好幾瓶飲料的紙袋。我越想越不對勁，便先打給櫃台請館員留意這個孩子的動向。

同時，我立刻下樓找這孩子，想說跟他聊一下，問問看為什麼沒有去上學。他說他身體不舒服，請假。他說話時眼神閃爍，我內心也覺得奇怪，身體不舒服怎麼會在圖書館閒逛呢？

我又問，是因為家裡沒有人在家嗎？他沒有回答。我說如果身體不舒服，就在圖書館裡坐著休息。我內心還是覺得怪怪的，又詢問他是幾年幾班，記下了他的班級，想說待會向學校詢問看看。

也許是剛剛跟孩子的談話打草驚蛇，轉頭他已經提著一整袋飲料要離開圖書館。我連忙追上去，他說他要回家休息。我目送他離開，內心還是有種說不上來的不對勁。

身為一個母親的直覺，一直讓我感到不安。我趁他不注意的時候，拍下了他的照片，在他離開後馬上和校方聯繫。

校方認出了孩子，這才發現孩子跟我說的班級是假的。但已經到了第二節課，導師怎麼會沒發現孩子沒來上課呢？這時候學校已經開始找人、聯繫家長，在館內的我也很不安，內心忍不住自責：

「早知道剛剛應該直接跟學校聯繫！都是我去找他，把他嚇跑了，不然他應該現在應該還在圖書館裡面。」

學校老師在烈日下找孩子，孩子的導師也來圖書館問當時的情況，孩子的媽媽也著急地來圖書館找孩子。但為什麼家長和老師都沒發現孩子沒去上學呢？

原來是這孩子先用媽媽的手機傳 Line 給導師請病假，然後讓爸爸載他去上學，但他本人卻沒有進校門。老師收到請假訊息，認定孩子請了病假，所以才沒有察覺異樣。

看他提袋裡至少有四、五罐寶特瓶飲料，感覺就是打算在外面待一整天。

好險他有想到圖書館，好險我當天沒出差剛好在館內，好險我有母親的直覺和敏感度。雖然我打草驚蛇讓孩子走掉了，但也因此學校才知道這個消息。

如果到了放學時間，才發現這孩子沒回家呢？這一天他要待在哪裡，會不會發生什麼危險呢？

後來，在經過一個小時的驚魂後，孩子自己默默回到教室。他似乎知道館長阿姨會通報學校，所以就直接回學校了。

回頭檢討這天發生的事情，我知道下次遇到類似情況，要請館員先看著孩子，並且第一時間跟學校聯繫，確認狀況，不要一股腦地上前關心，反而把孩子嚇跑。

另一方面，也該加強館員對這方面的敏感度。其實他們都有看到這孩子，但沒有人多想，也沒有人想到跟我說一聲。好險是我剛好看到，第六感馬上告訴我事情不對勁，才有了接下來的後續處理。

感謝上帝，孩子平安，感謝上帝，讓我在圖書館工作。某種程度，圖書館像是一個無形的網，接住了這些逃離校園、無處可去的孩子。至少還有個安全的去處，至少還有個雞婆的館長。

「你的雞婆，是無形的網；你的善意，是孩子的光。」

後來，我沒有機會再遇到這個孩子，如果可以遇見他，我真想跟他聊聊，告訴他那天向學校通報他的資訊，是出於我的擔心和關心，並非刻意和學校聯手要把他抓回學校。

後來，我從側面了解到當天他可能逃學的原因。原來是他在學校遇到了一些事情，因為害怕遭受同學的排擠和冷眼對待，隔天便選擇翹課不去學校。但也許這只是一小部分原因，我們只能看到海面上的冰山一角，看不到冰山下面的全貌。

我想起一本我曾讀過的少年小說《告別日》，書中描述一位青少年因為傳簡訊給自己正在開車的朋友，造成朋友發生車禍死亡，他面對此事件的心路歷程。他的諮商心理師在書中說了一段話：

「不過總有一天，你的世界會重新回到正軌，但我沒有辦法幫你釐清所有的感受，只能讓你學習和它們共處，使它們成為你的一部分，卻不會對你造成傷害。」[1]

無論我們在生命中遇到什麼困難，也許無法遺忘，但我們得學習和它們和平共處。

1-4

陪你回家拿課本

——「我沒有帶課本。」女孩轉頭對我說。

這天圖書館來了一位小女孩，看起來只有低年級的年紀。看她在電腦前不知所措的樣子，不知道自己的Google帳號，不知道老師的會議室代碼。只有帶著一副耳機，說要來圖書館上學校的線上課程。我問她跟誰來的？

「我跟她一起來的。」她指著隔壁的大姐姐。

這位大姐姐是圖書館的常客，也是她家店裡的常客。她的媽媽開店很忙沒空照顧她，聽到有熟識的客人要去圖書館上線上課程，就請大姐姐帶她到圖書館上課。

原本以為到圖書館就一切沒問題，沒想到女孩對線上課程不熟悉。儘管人已經在圖書館，有電腦、有網路，還是沒有辦法順利上課。於是我直接打電話到學校，詢問這個女孩她們班的上課方式。

電話那頭，資訊組長告訴我從學校官網點選「停課不停學」專區，從另外一個路徑，才可以連結到他們班的課程。我終於看到了她今天的課表，有數學課、有國語課、有健康體育課，第一節課是從數學開始。

「我沒有帶課本。」女孩轉頭對我說。

人都來了，沒帶課本怎麼辦？我問她：「你們家住在哪裡？」她回答了一家店的名稱。我和館員想了一下，發現這家店，也就是女孩家，和圖書館在同一條路上，距離不到一百公尺。

我請她回家拿一下課本，她想要隔壁的大姐姐陪她。但大姐姐的課程已經開始，而且是線上同步，無法離開。「我陪妳回家拿吧！」我說。

我跟著她走回她們家，媽媽還在忙著店裡的事。我跟媽媽自我介紹說我是館長，陪她回來拿課本。媽媽看到連忙道謝，直說自己工作忙碌，這樣停課真的沒有辦法顧到孩子。媽媽和我說話的同時，女孩就在店裡的櫃子裡一邊翻找自己的課本。

「健康體育課本要帶嗎？」女孩轉頭問我。

「妳就先帶著吧！不然等一下還要回家拿。」我回答。

孩子拿好課本，放在一個透明大塑膠袋裡。媽媽從冰箱拿出咖啡說要請我喝，我婉謝了她的好意。請女孩跟媽媽說再見，帶著她走回圖書館。

「書好重喔！」在路上女孩說。

我沒有回答，我也沒有幫她提。這是她的課本，是她的事，應該要學會自己負起責任。我認為我們可以給予孩子幫助，但不代表要承擔孩子自己可以負責的部分。

回到圖書館，一切終於就緒，第一堂數學課正式開始。我回館長室工作，心中始終牽掛著她。下樓走走看看，女孩向我詢問道：「請問有剪刀嗎？」原來是數學課的附件需要剪刀，但是她都沒有帶，我拿了圖書館的剪刀借她。看著她努力想要沿著虛線剪，卻剪得歪七扭八……

疫情當前，停課不停學，課程大多改成線上的方式進行。然而，線上課程需要的不只是設備跟網路，還需要有照顧者的引導和協助。

電腦、平板、手機、無線網路，這些都是可以透過學校和圖書館資源獲得的東西；但擁有這些東西之後，更重要的是有一個照顧者，可以在旁邊協助和引導孩子。在孩子找不到路徑進入課程的時候，在孩子發現手邊沒有課本，或是發現忘了帶剪刀的時候。有一個大人可以回答他這些問題，給他及時的幫助。

圖書館不是安親班，針對一兩個特別有需要的孩子，我們尚可以額外提供照顧和幫忙，但我們能做的還是非常有限。

我相信在台灣的各個角落有許多像這樣的孩子，父母忙碌無法照顧，就算學校課程建置得再完善，也很難發揮預期效果。

這些孩子就像站在月台上，卻沒有上車的人。眼看著高鐵駛去，開往停課不停學的目的地，而自己卻留在原地。原本教室裡的孩子的常態分配，再不久後圖形會上下顛倒過來，走向兩極化。列車上的人，月台上的人，距離會變得越來越遠。

停課的這段日子，家長辛苦，學生辛苦，老師辛苦，大家都在適應一個全新的生活方式。如果你有餘力，可以多做一些，多幫助一個人，那就去做吧！如果你沒有餘力，就少做一點，讓自己喘口氣，放過自己吧！不需要用別人的標準去生活，每個人都要找到自己生活的平衡和步調。在家庭關係、親子關係、職場關係，都可以找到自己安身立命的位置，在那裡把自己照顧好，才有餘力照顧別人。

「我們都是很好的人！」

你是，我也是。

這件事情讓我看到在停課不停學的路上，學校做了非常多努力，提供電腦與無線網卡的申請，就是為了確保孩子們在家也可以安心學習。但我發現還缺少一樣東西——這些孩子還需要一個可以給予協助的大人。

疫情期間，家長工作受到影響，學校也受到影響。對家長來說，就是家庭工作兩頭燒；對學校老師來說，也是很吃力，需要兼顧實體跟線上的學生。這時候我發現公共圖書館好像有些優勢，老師看不到小孩，但是我看得到，「圖書館好像可以做些什麼？」的想法油然而生。

引用《內在原力》書中一句話：「用自己的蠟燭點亮別人的蠟燭，可以照亮別人，自己的亮度也不會減少。」[2]

原本就必須每天開館上班八小時，每天面對各式各樣的讀者，在學校停課的這段日子，我們只要多花一點點時間留意出現在圖書館的孩子們，跟他們打聲招呼、跟他們說說話，就能讓他們感受到在圖書館是安全的，有任何問題是可以向館長和館員開口求助的。

一樣的上班八小時，我們用自己的蠟燭點亮孩子們的蠟燭，可以照亮孩子，我們自己的亮度也不會減少。

這就是我們圖書館員可以做的事。

1-5

當一個孩子信任的大人

——館員就是孩子信任的大人，圖書館就是放心的去處。

我常常覺得自己的工作，不只是個館長，而是「當一個孩子可以信任的大人」。

每一節下課迎接他們，每一場導覽親自解說，每一次幫他們選書。他們口中的館長，其實是在家庭和校園之外，有一個可以信任的大人。

今天早上下課時間，有個小男孩走到我身邊：

「館長，你可以幫我選書嗎？」

我帶他到書櫃前開始選書，他又說了一句：「要有ㄅㄆㄇ的。」原來是上次幫他選書的孩子，他說媽媽說要有注音的才看得懂。

下午安親班帶學生來圖書館看書，一個小女孩叫住我：「館長！」「有什麼事嗎？」我笑著說。

她搖搖頭，原來她只是想跟我打招呼。之前這個安親班有到圖書館參訪，她認得我，所以來跟我打招呼。

你的孩子身邊有信任的大人嗎？除了學校、補習班之外，還有什麼地方是你的孩子感到熟悉，你也覺得放心的去處呢？我的答案是「圖書館」。

平常只要是開放下課十分鐘的時間，我都會在門口迎接孩子們。穿梭在書櫃和電腦旁邊，在有人呼喚「館長」的時候給予他們協助。

我記得有一對兄弟，幾乎每一節下課都到圖書館報到。有一天他看到我就說：

「館長，你上一節下課怎麼不在。」

原來孩子都有在觀察，都有在看。在圖書館工作，你以為只是在櫃台借還書，但對孩子來說，你就是他們最熟悉的那個人。當孩子很熟悉圖書館的館員，他在這邊就會很自在，遇到問題也會開口尋求幫助。

某一天我去補習班接孩子放學，遇到那對兄弟，他們開心得不得了。在補習班門口，當著接送家長和老師的面大喊「館長！」

從此以後，他下課來圖書館，除了借還書之外，還會跟我確認另一件事：

「館長，你今天會去〇〇補習班嗎？我六點半下課。」

我真的很慶幸，我的館員們每個都很愛小孩，都把孩子當自己家的小孩照顧。下雨天到圖書館的孩子，還特別拿報紙讓他遮雨回教室。遇到獨自來圖書館的小孩，也會多問幾句，稍微了解一下狀況。

愛自己的孩子，也愛別人的孩子

有一句話說：「養育一個孩子需要全村的力量。」

我覺得自己何等幸運，能在自己家鄉的圖書館服務。因為我所做的一切都會留在這塊土地上，這是我孩子成長茁壯的地方。如果我們希望自己的孩子能在一個安全的環境長大，如果我們希望自己的孩子在社區都能遇到善良的人，那麼最好的方式就是「愛自己的孩子，也愛別人的孩子」。

這也是我在小鎮圖書館工作的初衷，當我愛這些到圖書館的孩子，讓他們有書本的陪伴，走在自己的目標和正途中，就是為我自己的孩子創造優質的環境。

當我們願意將我們的關心的範圍再向外擴展一點點，再跨出舒適圈一點點，就可以把我們的善意傳達給孩子。這種關心不需要給實質的物品，或是真的替這些孩子解決問題。而是在孩子呼喚我們的時候，給予一個微笑回應，在這些孩子看著我們的時候，我們也看著他，讓孩子感受到我們的關心和善意。

一個孩子的生活中，除了父母和學校老師，能有幾個大人是他可以信任和說話的對象？不要小看這些微不足道的舉動，一個人、兩個人、三個人，當我們願意這麼做的時候，孩子會看見這世界的美善，相信人性的良善。

我期待圖書館不僅是孩子閱讀的地方，更是一個可以給予溫暖和支持的地方。就像是小朋友的秘密基地一樣，有熟悉的環境，有熟悉的大人，在他想要找個地方躲起來的時候，他會想到有一個地方可以去，這個地方叫做「圖書館」。

多一點點善意，多一點點關心，我們不僅是圖書館員，而且是孩子生命中一個值得信任的大人。

1-6

當一個孩子敢開口求助的大人

——「我的書還了，可是說我沒有還。」她聲音有一點顫抖，好像快哭了。

下課十分鐘，一個女孩怯生生地靠近我，她沒有說話。我開口問她：「妳找館長有什麼事嗎？」她用微弱的聲音回答，我必須彎腰到她口罩前，才聽到她的聲音。

「我的書還了，可是說我沒有還。」她聲音有一點顫抖，好像快哭了。

我重複一次她的話，確認她想表達的意思。

「妳的意思是妳已經還書了，但櫃台叔叔阿姨跟妳說還沒還是嗎？」

女孩點點頭。

我帶著她到櫃台，請館員確認她的借閱資料，果然有兩本書，逾期二十幾天沒有還。我請館員抄下書名和索書號，對女孩說：「不要擔心，我們一起來書架找找看。」

有可能是孩子不知道還書要回櫃台，直接放回書架上；也有可能是還書過程中有疏忽，沒有刷到條碼。

第一本是《烏龍派出所》，因為按照集數排列，很快就找到這一本。第二本是繪本，索書號 859.6。光聽到這索書號我就快暈倒，因為這個號碼的書非常多。我還特地上網查書的封面長什麼樣子，跟正在整理書的志工說明，請他幫忙留意這本書。

沒想到才剛說完，眼角一個餘光馬上就看到這本書了。我請女孩把書拿去櫃台還，女孩這時才如釋重負。

「妳一定很擔心，對不對？」

她點點頭。

我請館員清除她逾期未還的紀錄，請她以後如果遇到這種情況，直接跟我們說就好，我們會幫忙解決。

孩子需要一個信任的大人，一個她敢開口求助的大人。多關注孩子臉上的表情，就算她沒有說話，你也可以聽到她內心的呼救。

主動靠近一步，輕聲多問一句，我們都可以成為那個給予協助的大人。

1-7

這是我的電話號碼

——我問：「那媽媽呢？」她說：「她在住院。」

八點不到，就有孩子在圖書館門口等候。明明還沒放暑假，卻有一群孩子等在圖書館門口。攀談之後，才知道他們都是應屆畢業生，畢業典禮結束就不用再去學校，圖書館頓時成為他們吹冷氣，看書、用電腦的好地方。

一個女孩坐在大門口，看起來像是早早就被家長放在圖書館門口，等著我們八點開館。不像有些孩子三五相約，她只有隻身一人。她獨自坐在桌旁，我發現她面有難色，看起來就像是身體不舒服。

「妳是不是肚子痛？」我問。

她點點頭。

「有吃壞肚子嗎？」我問。

她沒有回答。

「生理期肚子痛嗎？月經來了沒？」

她說不是。

「我是館長阿姨，如果妳有什麼需要幫忙，都可以到館長室找我。」說完，我就進辦公室，並交代館員留意著女孩的情況。

忙一個段落，我走出辦公室看看她，和她聊聊天。

她說因為父親跨縣市上班。所以早上就必須把她送到圖書館，下午她再自己步行到補習班，補習班上完課再等爸爸下班去接她。

我問她那中餐怎麼辦，她說安親班老師會幫她訂中餐。
我問：「那媽媽呢？」
她說：「她在住院。」
我問：「她怎麼了？」
她聳聳肩，說她不知道。

身為三個孩子的母親，如果我是這孩子的父母，心中該有多麼不捨。每天一早不得不讓孩子獨自留在圖書館，再自己走路去補習班用餐。這段時間爸爸遠在其他縣市上班，媽媽在住院。如果她遇到危險，或是任何需要幫忙的時刻，她能找誰？

「這是我的電話號碼，妳有任何需要幫忙的時候都可以打給我。」
我將自己的手機和辦公室電話抄在一張紙條上，遞給她。

我想讓她知道，雖然父母因為健康、工作的緣故，沒辦法在她身邊給予及時的協助，但是在圖書館還有一個大人，是她可以信任，可以開口尋求協助的。

我在想：「我能做些什麼呢？」

圖書館將會是她整個暑假每天上午唯一的去處。原本在這裡的時光她都得一個人度過，但因為一句簡單的問候，得以開啟一段新的關係。她知道在圖書館，有一個可以說話的人，有一個每天跟她說早安的人，有一個跟她說「有什麼需要都可以來找我」的館長阿姨。

早上我提早到圖書館，她已經坐在門口吃完早餐。我打開圖書館的大門，對她說：「早安，可以進來囉！」她笑笑的，沒有說話。

圖書館的門，為每個人敞開，為這些落單的孩子敞開。每一句問候，每一個眼神的交會，都有機會開啟一段對話，建立一段新的關係。

「圖書館不只是存放故事書的地方，而是一個創造故事的地方。」

感謝上帝，我可以在這裡路過許多人的生命，但願用我一點點的善意，加上一點點的雞婆，成為這些孩子生命中的光。

圖書館不再是暑期非不得已的囹圄，而是一個充滿愛和溫暖的地方。這個暑假，希望這些孩子記得。曾經有這麼一個圖書館，有一個館長阿姨在乎和關心他們。

如同《不便利的便利店》書中所說，幸福不是在通往目標路途上的某樣東西，而是那條路本身就是幸福。你所遇見的每個人，都在苦苦掙扎著與什麼對抗，所以你必須親切待人。[3]

我們不知道每位走進圖書館的讀者，他們在苦苦掙扎著與什麼對抗；即使他們沒有說出口，沒有表現出來，但內心的空缺和無力一直都在。在圖書館工作的我們，如果無法辨別讀者的需要和感受，那就選擇當一個善良的人。讓圖書館成為幸福的驛站，在這裡喘口氣。

我們無法解決讀者生命的問題，無法改變讀者人生的困境，但我們可以讓圖書館，成為一條幸福的路徑。

1-8 解憂圖書館

——這裡是館長室，也是晤談室。

女孩頭上蓋著外套，全身濕答答的，一股腦就坐在館長室的沙發上，抱怨著剛剛和媽媽的衝突。

媽媽因為工作走不開，請阿嬤去接她。這孩子不滿意媽媽這樣做，於是自顧自地走，阿嬤只好騎車在一旁追趕。正值青春期的她覺得阿嬤一直跟在旁邊很煩，竟然就拔掉阿嬤機車鑰匙，自己跑來圖書館，獨留阿嬤在雨中牽車回家。

她告訴我事情的經過時，是笑著的。

我以前認識的她，不是這樣的。這一年她想必經歷了什麼，青春期的賀爾蒙腦內風暴，加上在校園被霸凌的經驗，漸漸的變成了現在的樣子。

我傳訊息跟她媽媽說，孩子在圖書館，請她放心。媽媽來圖書館找孩子，卻被孩子拒於門外，只好找我求助，因為她女兒還願意跟我講話，也願意聽我講話。

這年紀的孩子，該從哪裡開始關心呢？我想，我們可以從傾聽開始。她只是想要有人聽聽她的想法，才會做出那些引人注目卻惹怒大人的行為。我要靜靜地聽，不要太快否定她，因為她其實就是個孩子，只是想要得到大人的稱讚和肯定。

我想起胡展誥諮商心理師在《說不出口的，更需要被聽懂》這本書中提到：「著急會讓你的善意大打折扣」。[4]

我想每個父母都是愛孩子，對孩子好的，我們開口都是想傳達對孩子的愛，但往往因為我們的擔憂和著急，說出來的話不但孩子沒感受到善意，反而把孩子越推越遠。慢下來，可以幫助我們有更細微的理解，而且讓我們有帶著知覺的行動。

我覺得這種感覺就很像用自動導航和看地圖的差別。父母必須關掉平常對話的自動導航，練習拿著地圖按圖索驥，隨著孩子的情緒、表情、期待，決定自己下一步要怎麼走。

雖然會繞一點遠路，雖然會耽誤一點點時間，還是會抵達父母和孩子共同的目的地。反之，如果直接開自動導航，用父母覺得的最短時間、最短距離，這樣只會直達父母的目的地，但距離孩子的目的地越來越遠。

母親和孩子衝突後擔心孩子，阿嬤知道後也擔心孩子，兩個人都想要用最快速的方式把孩子拉回來，但卻反而將孩子越推越遠。或許這時後該做的是慢下來，慢下來讓情緒有喘息的機會，慢下來讓兩顆心有對話的空間。

圖書館乘載了許多孩子，也乘載了許多家庭的故事。對於親子和家庭的問題我們好像幫不上什麼忙。我們能做的只有傾聽，靜靜地陪伴待在圖書館的孩子，也陪伴著心繫著孩子的父母。

圖書館是個安全的環境，不用擔心這些不想回家的孩子，在外逗留、交到壞朋友，這讓「解憂圖書館」這個概念從我腦海浮現：圖書館除了提供書籍、提供知識，我們更應該提供一個安心陪伴的環境。讓不想回家的孩子有個安全的去處，讓擔心的家長知道我們在乎他的孩子。

除了照顧孩子，也觀照母親的心，看著這位母親無助的眼神，我又想起胡展誥諮商心理師在《說不出口的，更需要被聽懂》書中的一句話：「你本來就是很努力也很棒的大人！」

在這間圖書館裡，有一個敞開的館長室大門，讓你隨時可以一股腦地坐在沙發上，有人會聽你說話──歡迎來到解憂圖書館。

1 許慧貞《最後抱他的人》（寶瓶，2020）。
2 愛瑞克《內在原力：9個設定，活出最好的人生版本》（新樂園，2019）。
3 金浩然《不便利的便利店》（寂寞，2022）。
4 胡展誥《說不出口的，更需要被聽懂：11個暖心對話練習，走進孩子的心》（遠流，2021）。

第2章

療心圖書館的秘密

——來圖書館上一堂閱讀課

2-1

下課十分鐘，我在圖書館等你

——看著每天要亂好幾次的書櫃，這些都是孩子成長的印記。

下課鐘聲一響，我看著孩子往圖書館方向衝。

我所服務的圖書館，位於一間國小的隔壁。說隔壁還太客氣，應該說根本就蓋在學校裡面，跟學校融為一體。除了圖書館的大門之外，圖書館有個側門直通校園裡面。也就是說，學校的孩子不需要走出校園，可以直接從圖書館的側門進來借書。

我們就這樣當鄰居當了快三十年，學校是學校，圖書館是圖書館。直到某一天，和學校的主任聊天，主任不經意的一句話，開啟了圖書館的奇幻旅程。

「妳就把門打開，讓小朋友進去借書啊！」

主任無心的一番話，打開了我的腦袋，對耶！我怎麼從來沒想過這麼做。於是我和長官說明我的想法，也和學校的校長和主任討論具體做法。

該開放哪幾節課？孩子會不會從側門進圖書館，從正門逃學離開？如何保護孩子在館內的安全？孩子的吵鬧聲會不會影響到館內的讀者？我們思考了各種可能面臨的問題。

儘管覺得有風險，但在首長和校長的支持下，我們決定嘗試看看。下課十分鐘計畫，正式開始。

一開始，從上午的兩節下課開始。我們做海報公告，請學校廣播宣傳。開放的第一天，為了怕孩子從至側門入館，正門逃跑，還特別請志工在圖書館大門駐守；此外也特別注意其他館內讀者和孩子的互動。

幾天下來我們發現，前面的憂心都是多慮了。孩子真的只是來圖書館借書，不會逃跑。館內的讀者也都能接受這些孩子下課十分鐘帶來的快樂笑聲，一點也不覺得被打擾。有許多讀者從來沒見過像這樣的圖書館，直說這真是非常好的合作模式。

孩子們的借閱成效非常好，有時候當節下課沒有開放，也有孩子在側門等候。於是我們和學校討論加開時段，早上三節下課，下午一節下課。讓早上沒時間到圖書館的孩子，可以利用下午的時間到圖書館來。

學校原本就有自己的圖書室，但因為館藏有限，能給孩子的借閱冊數也有限。加上負責的老師自己也要上課，所以學校圖書室主要是由家長志工們負責借還書的工作。只要聽到學校廣播：「今天志工媽媽請假，圖書室不開放。」就代表今天孩子沒有辦法使用學校的圖書室。

相反地，公共圖書館是隸屬於鄉鎮市公所，我們每天都要上班，不管今天圖書館有幾位讀者，圖書館都要開門。既然我們每天都必須固定時間開館，那何不讓公共圖書館成為學校的第二間圖書室，讓這學校的孩子享有雙倍的閱讀資源。也讓原本周間冷清的圖書館，充滿孩子的歡笑聲。

走進圖書館，像走進自家廚房

對孩子們來說，圖書館是校園的一部分，走進圖書館就像走進自家廚房一樣。冰箱打開，想吃什麼就吃什麼；圖書館側門打開，想借什麼書就借什麼書。

這群孩子為圖書館帶來歡笑，也帶來永遠不整齊的書架。相較於整整齊齊的書架，我更樂見被孩子取書翻閱亂七八糟的書架。對我而言，每天要亂好幾次的書櫃，這些都是孩子成長的印記。

如同《打造兒童閱讀環境》這本書提到：「書本是給人閱讀的，而不是要它們整整齊齊地端坐在架上。」[1]下課十分鐘，我們在圖書館等你。

下面再跟大家分享幾個下課十分鐘的借書小故事：

Q1：我不知道怎麼選一本書

這天有一個孩子站在書架前，東張西望始終沒有拿任何一本書。

「你想看什麼書呢？」我問他，孩子沒有回答。

「那阿姨推薦你好看的書，好嗎？」孩子點點頭。

於是我在他眼前的書櫃，選一本自己讀過的繪本給他。帶著這一本書，他滿足地走向櫃台。跟同學一樣，他學會借書了。

不常使用圖書館的孩子，一方面不知道書放哪裡，一方面不知道怎麼選喜歡的書。這時候我們的推薦就很重要，看是要公主、恐龍、昆蟲……各種書籍都要知道大概的位置和書目，才可以馬上推薦給孩子。

儘管當館長有很多行政工作，但還是需要花一點時間看書，知道哪些繪本在講什麼，知道現在小孩在喜歡什麼。我們小小的推薦，會給孩子大大的勇氣。

「原來我是會看書的。」

「原來我可以自己借到喜歡的書。」

Q2：我要借有注音的書

第二節下課，一個小男孩請我幫他選書，我選了幾本給他。

第三節下課，小男孩又來找我，他說：

「剛剛有一本是中文的，媽媽叫我不要借中文的書，因為我看不懂。」

「媽媽是跟你說，要借有注音的書嗎？」我想了一下，把書翻開。

小男孩點點頭。原來他還沒有辦法認得國字，所以媽媽跟他說借書要借有注音的。我確認繪本有注音後，把書拿給他。

Q3：我要寫報告，請推薦我借什麼書

一位高年級的女孩，走到我身旁：「館長，我要寫報告介紹書，可以推薦我可以借什麼書嗎？」

剛開始我不知道她想借哪一類，後來聽起來，她要的不是繪本，不是橋梁書，比較偏向青少年小說。

我帶她走到青少年小說書區，拿起一本本我讀過的書，大概說一下內容，介紹給她。像是《西貢小子》、《孤哥少年》、《少年廚俠》、《皮克威克奶奶》這類比較輕薄短小的兒少小說。

我請她多借幾本回家讀，自己再選擇覺得想要分享、適合寫報告的書。上課鐘聲響，女孩跟我說謝謝後，趕緊帶著這些書去服務台借書。

Q4：我要幫媽媽借書

一個孩子拿了一張便利貼，上面用歪歪扭扭的注音寫著書名。

「我媽媽想借這本書。」孩子說。

我仔細拼了一下注音，發現注音寫的是「我的孩子不是我的孩子」。

聽到書名就覺得好像怪怪的，跟印象中的書名不太一樣，但我還是選擇先相信孩子。我跟孩子說，阿姨幫你查一下。

確認後我跟孩子說：「這本書的書名應該是《你的孩子不是你的孩子》。」他點點頭表示知道了。

原來這本是媽媽要看的書，這個一年級的孩子用注音把書名記下來，利用下課時間到圖書館幫媽媽借書。

圖書館大部分都是爸媽在幫孩子借書，像這樣給孩子任務，請孩子幫忙借書。我想孩子內心一定覺得自己很重要，自己很棒，可以幫上媽媽的忙。

閱讀是生命的回音

生命中缺少什麼，就會讀到什麼；生命中困惑什麼，書本就會解答什麼。

也許「下課十分鐘」存在的意義，就是賦予孩子自己選書的自由，擁有閱讀的自主權。讓公共圖書館的資源，在孩子上學的時間就可以被利用。

想要閱讀一本書，不需要靠父母周末帶他來圖書館，孩子只要利用自己的下課時間，就可以帶走閱讀一本書的快樂。

林怡辰在《從讀到寫》這本書提到，只有尊重孩子的選書自由，閱讀這件事才從此有了樂趣和興趣，體會在浩瀚書海裡和自己有興趣的書相遇，是一件多快樂的事！當我們允許每個孩子有選擇閱讀的自由，我們才真正做到：「允許孩子成為他自己。」[2]

每個來到圖書館的孩子，都需要我們一點點指引，一點點的傾聽、一點點的善意。我們所指的方向，可能引領孩子走向一個偉大的航道。

館長日常　圖書館闖關去

「館長，我們要闖關！」

下課鐘響孩子們出現在圖書館側門，手中除了借書證之外，還拿了一本小冊子。

「你們確定闖關的地方是圖書館，不是學校的圖書室嗎?」我問。

孩子們各個有自信地點頭。原來這是班上老師出的作業，讓孩子們認識校園，請他們到各個處室去蓋章。

Q：撿到或掉了東西可以到哪個辦公室?

A：學務處。（找學務主任蓋章）

Q：校長辦公的地方在哪裡?

A：校長室。（找校長蓋章）

Q：學校圖書室的好鄰居?

A：鎮立圖書館。

面對孩子突如其來的闖關活動，我們也覺得格外新鮮有趣。謝謝圖書館的好鄰居，謝謝老師連出作業都想到我們。

2-2

用好奇心點燃閱讀的「癮」

——孩子熱愛的東西，會帶他到達任何他想去的地方。

停課不停學的日子，白天的上課時間，還是會有家長帶著孩子到圖書館來。

這天是一位年輕阿公帶兩個小孫子到圖書館。這對小兄弟，哥哥唸低年級，弟弟唸幼兒園。我們一眼就認出這個哥哥，他在圖書館裡面很有名，每個館員都認識他，我們還幫他取了個外號，稱他為「昆蟲小達人」。

故事是這樣開始的，小男孩幾乎每天都來圖書館報到。而且都會到櫃台問：「有沒有昆蟲的書？」

通常遇到這種情況這時候，我會帶孩子走到書架旁，隨手拿一本書，推薦給孩子，通常孩子都會很開心地接受。唯獨這個孩子，他的回答出乎我們的意料之外。

「這本我看過了！」他回答。

「那這一本呢？」我再拿一本。

「這種我也看過了！」他回答。

這樣的對話，重複了三次以上。我心想，是他昆蟲的書看太多，還是我昆蟲的書買太少？

某天我靈機一動，我一直在兒童書區找昆蟲的書。或許我可以到成人書區，在三類的書區找找看。我趕緊到二樓，在三類的書櫃上找啊找，果然被我找到好幾本昆蟲圖鑑之類的書。

某一天下課時間，這小男孩又來圖書館，我把事先準備好，放在櫃台的書拿給他。我看他瞪大雙眼，張大嘴巴，這就是他要找的書。

「這是大人的書，字很多，沒有注音，你可以看圖就好。」我說。

「國字我看得懂。」小男孩回答。

接著我告訴他這些昆蟲的書放在哪裡，以後他可以自己上樓來借書。他自己又選了幾本，拿到櫃台借書的時候，在櫃台前興奮地一直跳一直跳。如果他像昆蟲一樣有翅膀，應該已經飛出窗外了。

從此以後，每個館員都認識這一位昆蟲小達人。停課的日子，好一陣子沒見到這個男孩。直到這天，阿公帶著小兄弟來圖書館借書，我們一眼就認出哥哥是昆蟲小達人。看他熟門熟路，直接往二樓去，借好了他的昆蟲書，邊走邊跳下樓。這時阿公呼喊他：

「趕快拿去登記！」

「不是登記，是借書。」

小男孩糾正阿公的用詞。借好書之後，阿公往門口方向走去，準備離開圖書館。

「阿公，等一下，書要消毒。」小男孩對阿公說。

於是小男孩和弟弟兩個人聯手，打開紫外線除菌機，將借好的書一本一本放進去。

等待的時間我們和阿公聊天，跟阿公說他的孫子真的很乖，都會自己來圖書館借書，尤其喜歡昆蟲的書。

「我也不知道。他們說要來圖書館，我就帶他們來了！」阿公笑著回答。

這個小男孩，因為對昆蟲的熱愛，閱讀才不管有沒有注音，他都會想辦法看懂書上寫什麼。為了這位昆蟲小達人，我們在採購新書的時候，特別為他選了幾本昆蟲的書，深怕哪一天圖書館的昆蟲書又被他看完了。

一個低年級的孩子，有如此明確的興趣，知道自己喜歡什麼，並且願意花時間閱讀，一步步深入探索未知的領域，我們真的很替他開心。我深信，他最熱愛的昆蟲，會帶他到達任何他想去的地方。

比爾蓋茲曾說：「培養出我今日成就的，是我家鄉的一個小圖書館。」希望這孩子變成昆蟲學家的那天，也會記得這間小小圖書館。

館長日常　借新書全家總動員

愛閱讀的孩子，看到新書到館，可是會眼睛一亮，想要趕緊借回家閱讀。

「館長，我要借《科學實驗王》第二部。」男孩問。

「上一節課被借走了耶！」我回答。

男孩失望地離開，我請他可以用預約的功能，這樣就可以當下一個可以借到這本書的人。

有的孩子看到想借的書不在架上，馬上轉頭問我們：

「我媽早上有來借書嗎？」女孩問。

「有啊！8點就來了。」我回答。

「那書應該是我媽借走的。」女孩說。

借書需要爸爸媽媽一起來動員，才能搶到想看的書。

有位媽媽下午來幫孩子借書，看到想借的書不在書架上，正擔心孩子因此失望。最後才發現，原來她的孩子怕媽媽太晚來，自己就利用下課時間先把書借走了。

感謝有這些愛閱讀的家庭，讓這些好書永遠都有人等候。

2-3

引導選書，按圖索驥不迷惘

——閱讀需要引導，選書也需要引導。

閱讀需要一個出發點，從一本書出發，讓一本書帶孩子找到下一本書。

不是每個孩子都有辦法在書架上找到一本想看的書，不是每個孩子都能勇敢開口詢問，更多的孩子是一時找不到想看的書，就認定這裡沒有我喜歡的書，放棄走入圖書館了。

我與孩子們對話，試著在腦袋中搜尋出適合他們閱讀的書，為他們選書，讓他們相信自己是個可以閱讀的人。

只要在孩子腦中建立一張圖書館的導覽圖。讓孩子能按圖索驥找到想看的書，在圖書館裡不迷航。

為孩子選書的是一個過程，一開始或許是寫功課的需要，我們可以針對特定主題或孩子的興趣為孩子推薦書本。然而，我相信閱讀最終的主導權依然在孩子手上。

如同羅振宇老師《閱讀的方法》這本書說：「讀書這件事，關鍵在入門；入門之後，還有門。」[3]

「還有高木直子的書嗎？」

有個女孩總是提著個小提袋，來圖書館借高木直子的書。

「館長，圖書館還有高木直子的書嗎」女孩問。

「都被外借了耶！要不要幫你預約呢！」我回答。

她站在我身旁，指著電腦螢幕告訴我，她想預約哪一本，哪一本她看過了。之後的每一天，她都會到圖書館問預約書到了沒。今天再次看到她，又在書櫃前找書。我發現她都是找那種有插畫的書，像是角落生物系列的繪本和遊戲書。

「你是喜歡看這種有插畫的書嗎？」我問。

「我喜歡畫畫，我想學畫畫。」她回答。

突然腦中靈光一現，她喜歡的是插畫，而不是一定要高木直子的書。於是我帶她去9類的書區，找到好幾本可愛插畫教學的書。我看她嘴巴張大，眼睛發亮，這就是她在找的書啊！

閱讀需要引導，選書也需要引導。我們總認為圖書館就在那邊，裡面有很多書，自己去找。正是因為圖書館有太多的書，即使孩子知道自己喜歡看什麼書，但卻不知道從何找起。

《打造兒童閱讀環境》這本書提到：「如果我們的小讀者，能夠有一位值得信任的大人為他提供各種服務，分享他的閱讀經驗，那麼他將可以輕易排除各項橫亙在他眼前的閱讀障礙。」[4]

他們需要一個人跟他們聊聊，發現他們真正的需求，協助他們找到想看的書。

「我的孩子被霸凌，該看什麼書？」

在圖書館工作，除了館長的行政工作之外，有很大一部分的工作是選書。有這種孩子請我們推薦的，也有家長請我們幫忙選書。

「我們家姐姐不愛看書，請幫我借字比較少的書。」
「我們家弟弟喜歡老虎，請幫我借跟老虎有關的書。」

像這樣了解孩子的興趣，投其所好培養閱讀習慣，有明顯的線索，可以按圖索驥選書，這是比較簡單的選書工作。

有些是為了生活常規，或是孩子在學校面對困境，父母尋求協助幫忙找書。

我記得之前有一位朋友，跟我提到孩子在學校遇到霸凌的問題，請我幫她選書。我記得那時讀了一本《別告訴愛麗絲》，正好就是討論校園霸凌。

書中愛麗絲這麼說道：「我沒把遭到霸凌的事告訴任何人。我沒告訴老師，因為我非常確定他們不會相信我。……我沒告訴媽媽，因為我不想讓他為我感到難過。」[5]

我想這是許多被霸凌的孩子的聲音，孩子沒有告訴老師，因為霸凌者成績優異，沒有人會相信他是霸凌者。孩子沒有告訴父母，因為她不想要讓父母為她感到難過。

慶幸的是這位朋友有察覺孩子在學校面對的困境，怕開口問了孩子逃避、否認，將孩子越推越遠。於是選擇用一本書，讓書本對孩子的說話。讓孩子知道原來有人跟我一樣，看看主角怎麼做，想想自己可以怎麼做。

如果我讀過更多書就好了

每次幫大家選書的過程中，心裡都有一種感覺：「如果我讀過更多書就好了。」這樣我就更能信手捻來，推薦書本給需要的人。

感謝上帝給我一雙明亮的眼，可以閱覽作者們寫的文字。感謝上帝給我一雙傾聽的耳，可以傾聽身旁讀者和朋友的需要。感謝上帝給我一顆柔軟的心，願意認真付出，為大家找書、選書、運書。感謝上帝把我放在這個位置，不是一位高高在上的館長，而是一位貼近讀者的選書師。

儘管涉略的書籍依然有限，但能為身旁的人推薦一本書，彷彿也陪他走過人生某個階段。

不要小看自己的工作，如果願意為愛多走一哩路，為讀者選一本書。這本書就像是汪洋中的浮木，雖然人生依舊有風浪，依舊漂泊不定；但他手上的浮木，那一本書，會陪著他度過。

圖書館的導覽圖

前面提到，如果我們希望孩子有機會選擇自己想看的書，我們可以做兩件事：「給機會」和「給時間」。

那麼，我們要怎麼給機會和給時間呢？答案是：透過圖書館資源教育。如果孩子知道這間圖書館書籍的擺放，知道書籍的分類，他很快就知道可以去哪邊找到書。

建議學校老師，不僅僅是把孩子帶進圖書館，還可以事先跟館方聯繫，為孩子做圖書館資源介紹。新書在哪裡？兒童書在哪裡？只要建立起圖書館的導覽圖，就能讓孩子可以按圖索驥，相信自己有能力選書、借書，成為一個樂意閱讀的人。

館長日常

暑假作業

寒假最後一天，來圖書館的人絡繹不絕，有的孩子自己來，有的由爸媽帶過來，有的跟同學一起來。

自己來的孩子，拿著空白的心得單，很認真的在書櫃前找書。有的還沒辦借書證，跟著家長一起來。我上前和媽媽聊天，媽媽碎唸：

「最後一天才跟我說要來圖書館借書蓋章、寫寒假作業。」

媽媽心中的火，你我都懂。

還有幾個小男生，已經窩在二樓小角落好幾天。直到今天，其中一個小男孩來敲館長室的門：「館長，可以借我削鉛筆機嗎？」

果然寒假最後一天，才是寫寒假作業最有動力的時候。

此外，我發現在圖書館工作，可以發現另一個小秘密，就是知道孩子的寒暑假作業是什麼。

有的國小的暑假作業是到圖書館借書、蓋章並且寫心得。有的國中的暑假作業是畫一張全開的交通安全海報。當你發現大家拿一樣的作業單來蓋章，好幾組人馬，不同時間都在畫海報，就會發現這一定是在寫暑假作業。

有的組別很認真，上禮拜相約畫海報，這禮拜依然出現在圖書館。我採了探頭看他們的海報：

「進度跟上次差不多嘛！」

幾個女孩子掩面偷笑。

或許和同學相約來圖書館，聊天陪伴的作用，遠大於寫作業。但對於剛放暑假就開始寫暑假作業這件事，非常值得嘉許。

2-4

嗨，你好！孩子與圖書館的初次見面

——愛上閱讀的起點，就從這裡開始。

你知道會來圖書館的孩子，他們有什麼樣的共同點嗎？你可能會覺得是他們都很愛閱讀。但事實上，在喜愛閱讀之前還有一個重點，那就是他們都**「曾經來過圖書館」**。

我服務的圖書館緊鄰隔壁的小學，我們和學校合作了一個叫做「下課十分鐘」的計畫。在學校下課鐘響之後的下課十分鐘時間，孩子可以從校園走圖書館的側門，直接進到圖書館。這段路程完全不需要走出校園，圖書館和學校是連在一起的。

我們發現這些會來圖書館的孩子，共同的特徵並非他們都很愛閱讀，而是他們「以前都來過圖書館」。

有來過才會再來

新學期的開始，總會接到學校老師的電話，預約來圖書館參訪的時間。在約定好的某一節課，老師會將全班帶到圖書館，由我來做圖書館的導覽，介紹圖書館有哪些資源可以使用。

很明顯的發現，曾全班到圖書館參訪過的班級，之後的下課十分鐘時間，他們也會自己來圖書館。相反地，那些沒有參觀過圖書館的孩子，就算到了下課時間，也不會自己主動走進圖書館。

孩子不會去一個他以前沒有去過的地方，一個他不熟悉的地方。更何況在那個地方，你還要求他要借書、要看書、要寫心得。

即使是大人，如果今天突然叫你去一個你沒去過的地方，叫你在那邊找資料、寫心得，你應該也會覺得很焦慮。

怎麼使用圖書館

我們期待孩子閱讀，期待孩子喜歡圖書館。在這之前，我們必須為孩子移除所有他們踏入圖書館可能面臨的問題。

你有沒有想過，沒有使用過圖書館的孩子，他不知道兒童書在哪裡，他不知道該怎麼借書還書、不知道該選什麼書；他甚至會因為沒有借閱證，而不敢貿然踏入圖書館。

1. 怎麼借書怎麼還書

對於經常使用圖書館的人來說，借書還書不就是到櫃台刷一下條碼，就完成手續了嗎？有什麼困難的嗎？

直到有一天館員告訴我：「館長，你以後導覽的時候，可以提醒他們還書要到櫃台還嗎？」

原來，孩子從小被教導物歸原位的概念，老師也會提醒借書要記得到櫃台，完成借書手續；卻沒有人告訴他們，還書也必須回到櫃台，完成還書的手續。

當這些孩子在櫃台櫃台的時候，館員發現他們有未歸還的書籍，詢問之下才發現，他們都「物歸原位」把書放回原本的書架上。

2. 如何找到自己想看的書

你可曾想過，一個孩子當他不知道自己走去圖書館該站在哪個位置的時候，對他來說也是一種焦慮。

「別人都可以找到他們想看的書，但是我不知道要在哪邊找書，為了避免在圖書館裡很尷尬，乾脆就不要來圖書館好了。」有些孩子其實是這麼想的。

我們必須讓孩子知道：兒童書區在哪裡？新書區在哪裡？雜誌區在哪裡？給他們一張地圖，他們才有辦法掌握方向，選擇往哪裡去。

3. 如何預約想看的書

圖書館的熱門書像是《屁屁偵探》、《達克比辦案》、《神奇柑仔店》，在圖書館內幾乎是看不到的，只能用預約的方式才能讀到。

於是我教孩子們怎麼使用圖書系統，輸入自己的帳號密碼登入，開始預約。帳號很簡單，照著借書證的數字輸入就可以，密碼則是生日月日的後四碼，也非常簡單。

當孩子學會預約想看的書，預約到館的時間，就可以看見他們迫不及待前來借書的身影了。

拆毀推動閱讀的高牆

我們都期待我們的孩子喜歡閱讀，用力的把孩子推向書本。但我們卻忽略：在書本和孩子中間還是有一道牆，這道牆阻礙了我們推動閱讀的努力。

這道牆是什麼呢？這道牆可能是不曾走進圖書館，可能是不知道怎麼借還書；這道牆可能是沒有借閱證，也可能是不知道在哪邊找到適合的書。

我們期待孩子愛上閱讀，在用力的閱讀「推」廣之前，先拆毀那道高牆吧！唯有將障礙移除，我們推，才有辦法前進；不然也只是四處碰壁，兩敗俱傷。

1. 辦一張借書證

孩子辦借書證，必須要家長陪同，帶證件到櫃台才可以辦理。但是，不是每個家長都認為閱讀很重要，不是每個家長都有時間帶孩子走一趟圖書館辦借書證。

為了讓每個孩子都有公平使用圖書館資源的機會，我們和學校合作，幫全校的孩子辦理借書證。讓每個走進圖書館的孩子，都有可以把書借出去的權利。

辦理借閱證不需要費用，除了使用該圖書館的資源之外，也可以同步使用電子書等相關資源。像是「國立公共資訊圖書館 電子書服務平台」和「台灣雲端書庫」都是和各縣市公共圖書館合作，資源豐富的電子書資源（詳閱附錄）。

當你的孩子有機會走入圖書館，看到同學有借書證可以借書，但是他卻沒有借書證不能借書，你覺得他心裡會是什麼感受呢？如果可以，先為孩子辦一張借書證吧！

2. 走一趟圖書館

如果你是家長，不妨帶你的孩子走一趟圖書館。讓孩子知道圖書館的位置，從哪個門走進來、櫃台有哪些人，瞭解自己想看的書在哪邊可以找得到，怎麼完成借還書的手續。

如果你是老師，不妨帶你的班級走一趟圖書館。與其給他一張學習單，叫他去圖書館借書寫心得，不如利用班級時間參訪圖書館，請館方介紹圖書館的資源，相信圖書館都會非常樂意。

離你家最近的圖書館是哪一間呢？趁著周末帶孩子走一趟圖書館吧！

館長日常

圖書館導覽魔法口訣

為了讓來參觀的孩子對圖書館印象深刻，我自己編了圖書館「魔法口訣」：

一是辦一張借書證的服務台
二是保護兩隻眼睛的電腦區
三是三隻小豬的兒童閱讀區
四是四四方方的報紙期刊區
五是五星級的新書區
六是星期六來圖書館借DVD
七是和爸爸媽媽來圖書館笑嘻嘻

配合對象調整內容，運用孩子熟悉的東西，幫助小朋友記憶圖書館有那些東西，加強孩子們的聯想與記憶，免得走馬看花，回家通通忘光。

2-5

最受歡迎的圖書館

——結果，下午一點半，兩個班級都出現在圖書館。

美麗的錯誤——為什麼我們班沒有？

幾年下來，和學校合作越來越有默契，之前是拜托學校辦借書證。現在是申請表直接送進來，請圖書館幫忙辦。辦好借書證，依照班級分好，送回各班教室。

某班老師剛拿到借書證，上午就直接來圖書館，跟我約下午第一節課，要帶全班孩子來圖書館參訪，請我做圖書館的資源介紹。早上我們把電腦、投影幕、投影機架好，準備下午第一節課迎接一年級的孩子們。

一個中年級的男孩看到了，便問我為什麼要準備這些東西，為什麼他們班沒有。我跟他說：「你也可以請老師帶你們過來啊！」結果，下午一點半，兩個班級都出現在圖書館。

原來小男孩直接去跟老師講，說館長說，請老師一點半帶全班過來，結果跟一年級撞在一起。因為圖書館實在坐不下兩個班，我就只好請三年級這一班下一節課再來。

就這樣下午連講兩節課，一年級天真活潑，還真的搞不懂圖書館怎麼用；三年級比較進入狀況，我解說了如何館藏查詢、預約書、電子書，講完後留一段時間給他們去借書，

一年級的通通跑去借書看書，三年級的通通跑去用電腦，練習怎麼預約書。一

年級的小可愛，對「紫外線除菌機」超感興趣，排隊借書完之後，還乖乖排好隊，用紫外線除菌機幫書寶寶消毒。

後來，我發現隊伍排得有點久，才發現他們每個人、每一兩本書就消毒一次，需要花費不少時間。我便請他們幾個人的書集中一起放進去，消毒完再認領自己的書。

三年級的老師跟我說，聽我簡報的時候他還擔心預約借書、登入帳號密碼，這些對孩子來說太難了。沒想到，孩子們非常有興趣，因為他們很享受擁有自主權的感覺，人人都搶著自己使用電腦預約熱門的書。

現場八台電腦全部使用中，「館長！館長！」的呼喚聲此起彼落。館員來協助、替代役來協助，連臨時人力也來協助。不過只要親自操作一次，下一次孩子就會知道怎麼做了。

下課鐘響，孩子們在圖書館側門外面集合，導師笑著說：「很忙齁！」是真的很忙，但做得很開心！圖書館就是要這樣熱熱鬧鬧的。

紫外線除菌機——這個有夯過！

上課鐘響，其他孩子都回教室，剩下兩個低年級的孩子蹲在紫外線除菌機前，緊盯著裡面看，等待消毒的書。

聽到叮一聲，除菌完成，他們打開門，卻沒有伸手拿書。我走到他們身旁，聽到兩個人的對話。

「這個有夯（烘）過。」一個孩子貼心提醒另一個孩子。

另一個孩子小心翼翼將手伸進去箱子內，輕碰一下書的外側。

我輕聲告訴他們：「不會燙啦！」

這時兩個人才放心開始取書，取好書匆匆忙忙回教室。

每當和孩子介紹圖書館的時候，我都會問她們：「這台機器是什麼」他們給我的回答通常是：「洗碗機、烤箱、氣炸鍋。」

我繼續問：「請問圖書館裡可以吃東西嗎？」

「不可以。」孩子們回答。

「如果圖書館不能吃東西，那為什麼館長要把洗碗機、烤箱、氣炸鍋放在圖書館裡呢？」

說到這，他們都笑了。

我們以為理所當然應該知道的事，對孩子而言都是需要教導，並非理所當然的。

愛運動也愛閱讀——從《灌籃高手》開始

前兩天接到體育班導師傳來訊息，老師要帶女籃的孩子們來圖書館。老師說體育班的孩子，愛運動，也愛閱讀。

圖書館旁就是籃球場，每天早上都看得到她們勤奮練習的身影。

每個女孩走進圖書館，都帶著筆記本和鉛筆盒。老師請她們自己紀錄聽到的重點，有問題的直接舉手發問。

老師用自己的借書證，借了《灌籃高手》全套漫畫，說要放在教室讓孩子們閱讀。女籃的孩子，怎麼可以錯過灌籃高手呢！我很欣賞老師的做法和觀念，不但不擔心孩子看漫畫，還主動借漫畫放在教室給孩子們看。

我相信，一本書會帶孩子找到另一本書。

羅振宇老師在《閱讀的方法》這本書裡提到：「每一本書，總是會通向很多別的書。它們既是目的，也是道路；既是道路，也是目標。」6

我相信，故事不分貴賤，漫畫也蘊藏著打動人心的力量。一本書會帶孩子找到另一本書。

我們不要小看書的魅力，也不要小看孩子對知識的渴望。只要閱讀的門開了，書會帶他們走到更遠的地方。

如何預約書——不要考驗館長的記憶力

前面提到，圖書館的熱門書在館內幾乎看不到，只能用預約的方式才能借到。

我的工作之一，就是教孩子們怎麼使用圖書系統，輸入自己的帳號密碼登入，開始預約。帳號很簡單，照著借書證的數字輸入就可以。密碼是生日月日的後四碼，感覺也不會太困難。

我曾經為一個三年級的班級介紹怎麼使用預約書，他們班的導師告訴我，三年級教這個會不會太難？結果我講完，全部的孩子都跑到電腦前來操作。可見這對孩子來說一點也不難，他們很享受學習的過程。

你知道嗎？我遇到最大的問題不是電腦操作，而是他們不知道自己的生日哪一天。

某一天，第一節下課，一年級男孩要預約書，卻不知道自己生日是哪一天。請他去櫃台查詢後，才好不容易成功登入，他馬上預約了一本《屁屁偵探》。

第二節下課小男孩又出現，預約書的時候，又卡在密碼這一關。還是不知道自己生日是哪一天。

我回想了一下，印象中應該是某月某日。再次成功登入，又預約了一本《屁屁偵探》。

「不要考驗館長的記憶力！」

我不想要記得這麼多人的生日，但好像不知不覺就記下來了……

館長日常 躲在角落看書的女孩

暑假期間，在茶水間看到一個女孩躲在角落看書。

「你為什麼躲在這裡看書？」

「因為媽媽罰我今天不可以看書。」

「為什麼？」

「因為我昨天沒有練琴。」

我把頭往茶水間外探了探，

「媽媽有在外面嗎？」

「沒有，但我哥哥在外面。」

「哥哥會回家告狀嗎？」

「會，除非我有他的把柄。」

這女孩暑假幾乎每天都在圖書館，她真的超喜歡看書的。

「圖書館裡有這麼多書卻不能看，真的太痛苦了！」女孩說。

看著她對書本的渴望，我都想把她叫來館長室，坐在旁邊看書了。

2-6

每個學校，都是圖書館的加盟店

——校園閱讀的缺口，就由公共圖書館來補足。

記得疫情封館期間，帶著館員在整理書的時候，覺得書好多、書架好滿。

沒想到圖書館開放之後，加上九月份學校開學，我開始有「書不夠」的感覺。才發現原來館藏太多是錯覺，「流通率太低」才是真相。

圖書館空間確實有限，但有限的更是我們的目光，是我們畫地自限，把圖書館做小了。我們以為圖書館只能是直營店，卻忘了每個學校都可以成為圖書館的「加盟店」。

如果圖書館的書可以在各個學校流通，一方面解決我們館藏空間的限制，一方面解決學校購書經費不足的問題。對圖書館而言，書有地方放，書有人閱讀；對學校而言，學生有書讀，老師有教學資源。

除了公部門的經費之外，我期待有更多對閱讀有熱忱的企業或組織，可以支持學校或是公共圖書館。Openbook 閱讀誌看到了圖書館臉書，發現我們的用心經營，也看到了我們的需要，贈送我的圖書館幾百本新書做為館藏。

我們也收到華碩文教基金會的來信，表示他們參與天下文化公益贈書的活動，獲得一套一百本天下文化的好書，希望可以捐贈給圖書館做為館藏。

我馬上回信答應，而且不僅為我服務的圖書館發聲，也為鎮上的兩間國中各爭取了一套，將資源留給在地學校。華碩文教基金會爽快答應，他們信中最後寫「靜候佳音」，卻沒發現他們就是那個報佳音的人。

我們需要更多這樣的企業和團體，有錢出錢、有力出力，把閱讀的餅做大。圖書館、學校、圖書出版業……等，可以一起創造一個共好的閱讀生態。也許我們可以從公部門間的加盟再多走一步，往產業間的公私協力同盟邁進。

有句話說：「養一個孩子，要用全村的力量。」

我不確定要一個孩子愛上閱讀需要多少力量，但我知道那股力量——從你我開始。

1. Bookpanda 校園書箱

《打造兒童閱讀環境》這本書提到：「中心館藏還有一項主要任務，就是要能支援班級或各處室單位所需的迷你圖書館。」圖書館的校園書箱「Bookpanda」正是基於這樣的精神建立。[7]

以我們鎮內的一個國小為例，學校因為成立附設幼兒園，教室還沒蓋好，所以幼兒園在圖書室上課。國小學童沒辦法進圖書室借書，這段期間由圖書館提供「班級書箱」，把書裝一箱一箱送到各班去，讓孩子們在無法進圖書室的這段期間，能有課外讀物可以閱讀。

學校申請校園書箱，可以透過團體借閱證的方式。我們縣內的團體借閱證，只要是機關團體都可以申請。一張可以借一百本書，借期四十五天。學校老師不需要用自己的借書證借公用的書，只要用團體借閱證，就能借到全班的書；自己的借書證，就留著借自己喜歡的書。

我們會依照班級將書整理好，箱子外貼上班級、數量、到期日，箱子裡面放入書單，供班級老師核對。選書部分由館員依照年級選書，因為閱讀其實不一定完全照年紀，所以還是各種書都有。

老師如果有選書建議，也可以跟我們說。像是有一個高年級老師希望學生讀文字比較多的書，就請我們不要放繪本，以橋梁書和青少年小說為主。

為老師選書

「影響一個老師，就影響一個班級。」

圖書館和學校的合作方案，對象大部分都是學生。但教育現場還有一群人，因為他們的存在，「教」和「學」兩者才能相輔相成，學校才有價值和意義——那就是辛苦的學校老師。

我們常常在接學校的電話，申請「校園書箱」bookpanda，為不同年級的孩子選書。某一天我們接到了學校的電話，這次他們要的書箱，不是給孩子，而是給老師，校方希望由圖書館「為老師選書」。

閱讀這件事最好是從小開始，所以我們把閱讀的資源都投注在孩子身上。但事實上，如果我們可以對成人推動閱讀，影響一個大人，就影響一個家庭；影響一個老師，就影響一個班級。

來圖書館參訪的班級，很明顯地，如果老師自己喜愛閱讀，那麼他就會常常帶孩子來圖書館。一個自己熱愛閱讀、想讓孩子也體會閱讀的老師；和一個知道推動閱讀很重要，但自己沒在看書的老師相比。你覺得他們帶出來的孩子會對閱讀有同等的喜好嗎？

至於，該為老師選哪些書呢？

在我所熟知的作家裡面，許多都是對教育充滿熱情，在教學方法求新求變的學校老師。在《如何改變一個人》這本書裡面有說到，人們聽取建議時，會偏好和自己的職業、身分相同的人說的話。[8]

因此，如果想要改變老師，當然就是給他們看老師寫的書。此外，就是選擇一些跟學習方法、情緒管理、心理諮商的書籍，這些都可以當作教學現場的輔助。

不只為孩子選書，也為老師選書。我一口氣選了五十本書，送到學校。相信這些書會為老師的生命帶來的，他們班級的孩子也會改變。

安親班也要 Bookpanda

校園書箱和學校合作了一段時間後，某一天我接到鎮上一間安親班（補習班）的電話，班主任說他看到學校可以申請 Bookpanda 校園書箱，想要詢問補習班可不可以。

「當然可以！」我嘴上這樣回答。

「我最喜歡這種自投羅網的人了……」我心裡暗自竊喜。

原來補習班也需要書本，讓在班上的孩子在下課時間，或是寫完功課後可以閱讀。班主任說他之前都是自掏腰包買書，但真的很傷荷包，而且也沒辦法與時俱進，永遠都是那幾本舊書。當他看到圖書館有這種書箱服務，他覺得安親班也非常需要，他看了一段時間後決定開口詢問。

我一直很努力和學校合作，將圖書館書透過 Bookpanda 校園書箱的方式送進校園裡面，讓沒有機會走進圖書館的孩子閱讀。但我先前忽略了安親班這一塊。

仔細想想，對於中低年級的孩子來說，在安親班的時間不比學校少；即使是讀整天的高年級和國中生，晚上也都還會去補習班補習。那些提早抵達補習班的空檔，或是下課後等待家長來接送的空檔，都是非常好的閱讀時間。

《唐鳳的破框思考力》這本書裡提到：「如果你有一個理念，你必須公開發表出來。因為你的理念講得愈清楚，就會有愈多人一起加入。」[9]

儘管我過去不曾主動去開發補習班，但因為我持續發表理念，認同的人就會主動加入。於是促成了和補習班的合作。這合作創造了多贏的局面：

對補習班來說，他們不但不用自己買書，還可以利用圖書館的資源，定期更換書目。

對圖書館來說，我們不但提高了借閱率，也緩解了館藏空間壓力。

而對孩子來說，就算沒時間來圖書館，他們在安親班也可以閱讀到圖書館的書。

經典讀物《牧羊少年奇幻之旅》中有一句大家耳熟能詳的名言：「當你真心渴望某樣東西時，整個宇宙都會聯合起來幫助你完成。」[10]

我要說，當你真心渴望某樣東西，最好把你的渴望講出來，可以加速整個宇宙幫助你完成。

2. 全校辦借閱證

在推廣閱讀的時候，以往都是去學校鼓勵孩子們到圖書館辦借書證。但國中小的孩子辦借書證又需要父母的陪同，如果父母因為工作忙碌或其他原因沒辦法來辦借書證，那這個孩子永遠都拿不到屬於自己的借書證。

我認為借書證是閱讀的一把鑰匙，要讓孩子們有相等的機會使用圖書館資源。於是我製作了一張A4表單，上半部是給家長的一封信，下半部是借閱證申請表。請學校直接夾聯絡簿發回去，家長只需要填寫基本資料和簽名，圖書館統一幫全校辦借書證。辦好借書證後，依照班級整理好，再送回學校。

我想這對學校而言不會花費太大的力氣，甚至有的學校問我：「教師同仁可以一起辦證嗎？」看來我們不只服務到學生，也服務到學校的老師。當圖書館在老師心中開始佔有一席之地的時候，他就會想要把圖書館的資源分享給他的學生們。

我相信「為孩子辦證走的一小步，是讓孩子看見世界的一大步。」

沒有借書證的國中生們

我們就這樣幫全鎮的國小孩童辦了借書證。至於國中，我心想：國中生應該都已經有借書證了吧？

抱著姑且一試的心態，我還是把申請表提供給學校，學校的閱讀推廣老師協助將申請表發給國一到國三的孩子。

沒想到調查下來，才發現：有上百位學生沒有公共圖書館的借書證，幾乎快要全校的三分之一人數。

我們都以為這些孩子應該都接觸過圖書館，都辦過借書證。但每個人都這樣想，卻沒有展開實際行動的結果，就是讓這些孩子一再和圖書館擦身而過。

我們收下了學校的借閱證申請表，前後趕工一個禮拜，終於辦好借書證，再依照班級分好送回學校。

牛頓曾說：「如果我比別人看的遠，那是因為我站在巨人的肩膀上。」

有了這張借書證，無疑是向宇宙下訂單，站在巨人的肩膀上，看得更高、看得更遠。感謝學校的大力協助，感謝館員們認真登打。我們走的一小步，可以幫助孩子往前跨一大步。

孩子們，寶庫的鑰匙已經交到你手上，書中的寶藏就等你來尋覓吧。

3. 圖書館導覽和資源介紹

經過和許多學校的聯繫，我才發現學校的圖書室的困境：

1. 有些學校圖書室內的圖書沒有照索書號分類，加上書籍類型都是 8 類的繪本為多，孩子缺乏對圖書類型的廣度。
2. 買書經費有限，學校的購書經費都是靠補助款，不是每一年都有，而且經費很少，都是不需要招標的額度。
3. 學校圖書室人力有限，承辦的老師通常還有其他課務，圖書室的工作倚賴志工家長或學生的協助。

了解學校的困境之後，我才發現公共圖書館的角色有多重要。**校園閱讀的缺口，必須由公共圖書館來補足。**因此有學校開始預約來圖書館參觀，或者請我進入班級幫小朋友上課。

我都會準備 PPT 親自幫孩子們上課。介紹圖書的十大分類、索書號；如何上圖書館系統查詢館藏、預約書籍；怎麼使用電子書資源，像是「台灣雲端書庫」、「國資圖電子書服務平台」等等。

除了一般圖書館的使用規則之外，針對實務上常遇見的問題，我也特別叮嚀孩子借書證不要借同學。有些孩子會因為同學沒帶借書證，一時用自己的借書證幫同學借書，結果同學沒還書，就連帶害他逾期不能借書。

此外，還有一點就是「自己借的書不要借同學看」。其實借同學看當然不是什麼嚴重的問題，但就怕孩子一手轉一手，借來借去，結果最後讓借書的人自己找不到書。我請他們約想看書的同學一起來圖書館，自己先還書，同學可以馬上接著借書。

通常我會盡量縮短簡報時間，讓孩子有更多時間借書、預約書。本以為一年級講預約功能太難，但對這群數位原住民來說，沒有什麼是太難的。

不要小看這短短的介紹，不但能讓孩子知道怎麼使用圖書館，更重要的是：讓我們和孩子建立起情感上的連結。

孩子借好書，老師整隊完畢，在下課鐘響前帶回教室。過沒兩分鐘，下課鐘聲響起，這一群孩子又跑回圖書館來。有的還特地跑到你面前，笑瞇瞇地打招呼：「我又來了。」

讓圖書館成為校園的一部分

圖書館的功能除了閱讀，更是提供一個孩子安心的去處。他知道圖書館裡有可以信任的大人，我們聽這些孩子說話，這些孩子也會聽我們的話。

不知道從哪一年開始，一年級的每個班級開學後，全班一定會來圖書館一趟，讓孩子好好認識圖書館。

之前曾遇過孩子已經站在側門前，卻不敢走進圖書館。

我向他招手說：「可以進來啊！」

他怯生生地回答：「我沒有進去過。」

對於一個沒有去過的地方，孩子是會感到害怕的。並不是圖書館在那邊孩子就會自己去，而是要有人曾經帶他走進去，之後他才敢自己去。

圖書館資源介紹，表面上是為孩子提供的服務，事實上也是在服務老師。有的班級導師是第一次從側門進入圖書館，老師告訴我：「我都不知道可以從這裡進去。」如果老師都不知道，孩子就更不可能知道了。

特別感謝學校的安排協助，讓圖書館教育從看各班老師的意願，變成小一新生的必修行程。讓每個孩子都有使用圖書館的知識和權利。

圖書館資源介紹，每一場次我都親自說明。雖然要花時間做簡報；雖然針對不同年級，都要在想想怎麼介紹孩子比較能理解；雖然這些工作在別人看來像是多做的，一位圖書館長可以不用做這些事，但我還是選擇去做——因為這是值得做的事。

每次幫孩子上課都覺得好快樂，我也自願和學校合作，不管是學期初的志工大會，還是補校新住民開學始業式，我都會跑去分享圖書館資源。我相信，影響一個大人，就影響一個家庭，不僅能把閱讀的種子放進孩子的心裡，也能放進他們的父母心裡。

館長日常　圖書館的畢業倒數

停課兩個禮拜，同學，好久不見。

不知道會不會繼續停課，不確定畢業典禮會不會舉辦。沒有離情依依的畢業倒數，只有一個個的課程視窗。

青春，囚禁在電腦螢幕的方格裡。想飛，身在無限的網域中，卻不能展翅的飛翔。

疫情迫使校園的大門關閉，還好，圖書館的大門開著。

國三的孩子相約在圖書館，複習同學的臉龐，口罩下容顏，和國一時是否一樣。

板擦的位置，你還記得嗎？

少了板擦的教室，就像沒有加鹽的沙士。聯絡簿上的塗鴉，少了唯一的觀眾。老師，我們有點想念你！

既然不能去學校，就約在圖書館吧！為講台上板擦的主人，聯絡簿上塗鴉的唯一觀眾，為我們的班導師，做一張卡片。

這張卡片，不需要無線網路；我們的感謝已經布下天羅地網。

這張卡片，不需要配戴口罩；

請別為我們擔心，關於未來，我們罩得住。謝謝你，老師。

2-7

合作共好，走入校園

——走出圖書館，到學校作客。

一直以來，我覺得公共圖書館好像跟家庭或學校沒有很大的連結，大家各做各的事。但我發現，推動閱讀不能單打獨鬥，而是需要打群架的。

當我們合作時，對學校來說，擁有雙倍圖書資源，也提升孩子閱讀力；對家庭而言，培養孩子閱讀習慣，以及自己選書的能力，甚至能幫父母借書；對圖書館來說，辦證率跟借閱率都提升，也增加了工作價值感。

合作是雙向的，當學校大力支持圖書館，我們當然也要大力支持學校的活動。

比如學校進行圖書室的搬遷儀式，全校師生排成長長人龍，將書本從舊圖書室移到新圖書室。這個活動學校特別邀請我去一同參與，展現學校對圖書館的重視。

1. 校長你好——校長室喝杯茶

你可能想知道，為什麼學校會讓我們進去呢？如果公共圖書館進入校園只是為了核銷經費，把學校當作利用的對象，我想應該沒有學校會喜歡和圖書館合作。

但如果站在「幫忙解決問題」的立場，學校當然會欣然同意。這時候就要談到「我怎麼知道學校遇到什麼困難？」平時和各個學校建立關係非常重要，不是要辦活動的時候才找學校聯繫。

你可能覺得平常公務這麼繁忙，要怎麼跟學校建立關係。告訴你一個好方法，趁著到學校辦閱讀推廣活動的時候，活動結束通常校長都會熱情招呼：「要不要到校長室坐一下。」這種時候，請務必厚著臉皮說：「要。」

在校長室和校長主任面對面喝茶，聊一下少子化減班，聊一下課後活動，聽一下校長講他在前一個國小、前前一個國小的經歷。這些看似跟閱讀沒關係的閒聊，已經為你披荊斬棘，開出一條和學校合作的康莊大道。

當館長這些年，慢慢和各校熟悉，雖然每一學年都會有負責的主任或組長更替，但他們都會把新任老師的聯繫方式給我，讓我進一步和他們聯繫。

2. 成立 Line 群組——老師變朋友

在我所在的鄉鎮，成立了一個所有的國小教務處（教導處）Line 群組。一開始這是因為代理其他業務，為了方便和學校聯繫而成立的群組。最後我發現，這個群組對於圖書館的推動非常有幫助，於是便在卸下代理職務後，繼續使用這個群組和學校聯繫。

我們的鄉鎮有八所小學，以往只有要進入校園辦活動前電話聯繫，而且要一間間打電話聯繫。遇到老師在上課，就得留電話後再回電，非常費時耗神。有了Line群組之後，只要直接請各校提供方便的時間，馬上就可以彙整好。

另一方面，這個群組也可以用來宣傳圖書館的活動，請學校轉傳到校內老師群組，或是轉貼到各校的臉書宣傳。使用通訊軟體的即時性絕對比發公文來得迅速和有效果，因為在訊息中我們已經把所有的訊息都說明清楚，老師只要負責轉傳就好。一紙公文寫得文謅謅，但真正發布訊息並沒有辦法直接引用公文內容，還要花時間擷取和改寫。兩者相較之下，給學校老師方便，校方才願意舉手之勞為你多做一點。

如此一來，學校對公共圖書館就不會是一年見一次，而是不時收到圖書館的訊息。當學校老師和圖書館拉近距離，老師才有可能成為孩子和圖書館之間的橋樑。

其實跟學校合作到後來，跟主任和老師都像是朋友一樣。常常只要一個訊息或一通電話，挪去學校走進圖書館的阻礙，才能創造學校和圖書館雙贏的合作模式。

3. 夥伴關係──當彼此的神隊友

當我們和學校建立關係之後，圖書館的角色開始轉變，除了借書之外，開始有其他可能。

主題書展

學校如果需要辦主題書展，像是名家繪本主題書展，要借宮西達也、艾瑞卡爾的書本，圖書館可以幫忙把這些書本找出來，整理好一箱送到學校。

通常老師在寒暑假就會跟我們說下學期學校預計的書展內容，我也會和學校詢問確切需要書本的時間。這段時間我們可以盤點圖書館的書，那些圖書館沒有的書，也可以列入採購書單，填補館藏的缺口。

我們非常歡迎學校提供所需的書單，只要符合館藏發展方向，我們都會納入館藏。平常買一本書，不知道有沒有人看；但如果是學校推薦的書，採購進來後學校一定第一個把書借出去。

如果用現在的商業模式來解釋，應該就是預購的概念，與其進貨後（購入館藏）不知道賣不賣得出去，不如先讓學校預購（提前告知書目），讓我們納入採購書單。如此一來，學校可以借到想要的書，圖書館也確保一本書有讀者借閱。也算是一種雙贏的局面。

作品成果展

當我們將這些書送到學校之後，學校會開始進行相關活動，孩子會有相關的成果或作品。我曾和一間國小的附設幼兒園合作，他們在寒假先告知我們下學期即將舉辦艾瑞卡爾的主題書展，於是我們開始著手針對圖書館沒有的館藏進行採購。

當課程結束後，孩子們都共同完成了全班的作品以及個人的作品。像是《畫一個星星給我》，他們畫了一張星星的全開大海報；《好忙好忙的蜘蛛》他們用紙盤和棉線交織成捕夢網的樣子；《好餓的毛毛蟲》他們自己創作小書，告訴我們毛毛蟲還可以吃哪些食物……這些孩子們花時間辛苦做出來的作品，需要一個大大的舞台。

於是我們和學校合作，將圖書館的其中一面牆，做成一個小小的作品成果展，讓孩子的作品可以放在圖書館，被每一位走進圖書館的讀者看見。不僅如此，孩子也可以利用周末時間請父母帶他來圖書館參觀自己的作品。

如此一來，圖書館的書借出去了，學校有了教學的資源，孩子們的作品有了展示的舞台；家長們為了看孩子的作品，也願意走進圖書館。這樣就形成了一個良性的循環：書出得去，人進得來。

校園閱讀頻道－館長專訪

學校在早自修時間有一個閱讀頻道，全校進入 Google Meet 會議室，由閱讀推廣教師安排節目，各年級孩子輪流介紹書本或是專訪來賓。

其中有一集節目是《館長專訪》，我會特別在一大早到學校，接受老師的提問，分享如何使用圖書館、圖書館近期有哪些活動，以及推薦新書給孩子們閱讀。諸如「借閱證弄丟怎麼辦？」「想看的書圖書館沒有怎麼辦？」這些和孩子密切相關的問題，都可以直接訪問館長，透過 Google Meet 為各班解答。

他們的直播設備也非常專業，有專業的收音麥克風，攝影鏡頭還可以追著講者移動。

學校非常用心，想盡各種方式推廣閱讀。每個禮拜的影片，不是在教室播完就結束了。老師會做影片後製，上字幕，再上傳到學校的YouTube，讓家長和孩子回家一起收看。

「推動閱讀最重要的是什麼？」我覺得最重要的是「一顆願意的心」。

老師們很坦白地說，其實每周要找孩子上來分享，架這些設備，後製影片，真的很花時間。儘管如此，他們還是願意做這件事。

有句話我很喜歡：「不用很厲害才開始，要先開始才會很厲害。」

我們都沒有很厲害，但因為行動，我們開始變得很厲害。正在推動閱讀的你，我們都走在變得很厲害的路上。

暑期營隊館長老師

暑期學校辦理營隊的時候，需要有老師協助帶領營隊，當學校開口拜託，我也是一口答應，在營隊期間帶領孩子相見歡，推廣閱讀和寫作。

感謝老師的安排，學校有活動總是想到我。讓孩子們一直有機會看到館長，將閱讀放進他們的日常生活中。

或許有人會覺得做這些都是多餘的，跟圖書館又沒有直接相關，也不列入績效和評鑑。但我認為這些和學校、和孩子建立的無形連結，比這些績效和評鑑數字更珍貴。

共享成果——借閱率是誰的不重要

我們常常利用報表來看閱讀推動的成果，但這樣似乎搞錯了方向。閱讀的成果應該是反應在閱讀者身上。

借閱率可以劃分成你的圖書館和我的圖書館，你的學校和我的學校；但實際上一個愛上閱讀的人，卻不會去計較愛上閱讀是誰的功勞。

雙腳走去圖書館、雙手拿書、雙眼看書，請問誰的功勞比較大呢？

眼睛和手腳不會去比較是誰讓主人愛上閱讀，愛上了就是愛上了，劃分是沒有必要的。既然如此，那我們又何必去劃分成果屬於誰呢？只要能夠共享美好的成果，就已足夠。

1 艾登・錢伯斯《打造兒童閱讀環境》，P.35（天衛文化，2014。）

2 林怡辰《從讀到寫，林怡辰的閱讀教育：用閱讀、寫作，讓無動力孩子愛上學習》，P.96（親子天下，2019）。

3 羅振宇《閱讀的方法：找到文明世界中，本該如此的我》（圓神，2022）。

4 艾登・錢伯斯《打造兒童閱讀環境》，P.26（天衛文化，2014）。

5 凱西・卡瑟迪《別告訴愛麗絲》（親子天下，2017）。

6 羅振宇《閱讀的方法：找到文明世界中，本該如此的我》（圓神，2022）。

7 艾登・錢伯斯《打造兒童閱讀環境》，P.3（天衛文化，2014）。

8 約拿・博格《如何改變一個人：華頓商學院教你消除抗拒心理，從心擁抱改變》（時報出版，2021）。

9 唐鳳，楊倩蓉《唐鳳的破框思考力：關於工作、學習與行動的方法》（天下文化，2022）。

10 保羅・科爾賀《牧羊少年奇幻之旅》（時報出版，1997）。

第3章

讓閱讀，成為孩子一生的寶藏

3-1

閱讀，就是最好的獎勵

——閱讀真正帶給孩子的，是讓孩子建立對世界的美好期待

你對孩子閱讀的期待是什麼呢？

我發現閱讀和升學在許多家長心目中始終是掛勾在一起的。低年級閱讀是為了學習注音、識讀文字；中年級開始脫離圖文，進入全文字的世界；高年級開始閱讀長篇文章、寫作表達自己的觀點和想法。

在一〇八課綱教育改革後，面對長篇的題目，閱讀能力更顯得重要。於是閱讀開始有了目的性，閱讀不再單純為了興趣而讀、為了快樂而讀，而是為了考試而讀。

閱讀絕不是為了升學階段而存在，而是為了人生的每個階段存在。

我認為閱讀對孩子在學業上的幫助，其實是閱讀的附加效果；閱讀真正帶給孩子的，是讓孩子建立對這個世界的美好期待。

對世界的美好期待

《隱性虐待》這本書的作者提到「在書本上吸取的養份，已經足夠幫助我建立起對世界的美好期待，足夠相信這個世界上有美好的事物存在，儘管那些美好存在我永遠到不了的地方。但是，只要存在，就有希望。」[1]

心理學家阿德勒說過一句話：「幸運的人，用童年治癒一生；不幸的人，用一生治癒童年。」

身為家長的我們，或許沒有機會擁有一個充滿閱讀的童年，但我們可以從現在開始陪孩子一起閱讀。透過閱讀修補自己的過去，也透過閱讀為孩子打造一個愛的堡壘。

閱讀是最好的獎勵

林怡辰老師《從讀到寫》書中有個小故事我很喜歡：有一群人上了天堂，上帝看見他們腋下都夾著一本書，轉身面露羨慕的臉色，告訴身後的天使：他們不用任何獎勵了，因為沒有任何獎勵能滿足愛閱讀的人。[2]

我曾在許榮哲臉書上看到一句話「不求回報之人總是會失望，因為人生總是會有回報。」對閱讀的人而言，花時間閱讀是不求回報的，但當翻開書本開始閱讀後才發現，閱讀帶給你的回報，擋也擋不住。

至於這是什麼樣的回報，只能自己翻開書才能體會了。

因為閱讀本身，就是最好的獎勵。

3-2

我們都是被閱讀拯救的人

——獻給家長的親子共讀小秘方（上）

我曾經讀過一本書，書名是《財富自由的整理鍊金術》。書中有一句話深深打動我：「是什麼曾經拯救過你，就試著用它來拯救這個世界。」[3]

作者小印曾經是個購物狂，直到她開始清理自己的物品，重新整理自己的生命。她的人生開始改變，整理物品，販賣二手物品這件是拯救了她。於是她寫下自己的故事，期待有更多讀者可以透過整理物品拯救自己的人生。

我想，如果說小印是被整理和販賣二手物品拯救，那我肯定就是被閱讀拯救的人了。

擔任圖書館長的工作，看似每天必須被書本圍繞，各位讀者可能會覺得：我應該是個從小就愛讀書的孩子。

但其實我不是。

我小時候是個只讀教科書，不讀課外書的孩子。每次媽媽帶我和妹妹去逛書店，我永遠是在文具區閒逛的那個。因為我對閱讀沒有興趣，面對書架前滿滿的書，我不知道我該拿下哪一本書。為了避免自己的無聊和尷尬，索性都在文具區閒逛。

現在在圖書館工作，當我看到那些在書架旁徘徊的孩子，我彷彿看到兒時的自己。我羨慕別人可以隨手拿下一本書開始閱讀，但站在書架旁的我，顯得如此愚笨和拙劣。

在教學現場多年的林怡辰老師，在《從讀到寫》這本書當中提到：當她在校園中看到那些單親、新住民、隔代教養的孩子，她想到她從小也是從黑暗那頭走來，看不見光的所在，害怕、無力、憤怒、絕望和不知所措。

後來她想起，是「閱讀」把她拉回來，讓她重新相信，重新有盼望的。於是，開始用閱讀，拯救班上的孩子們。[4]

而我會開始重新閱讀的契機，是直到我的孩子出生之後。

為孩子重拾書本

在當圖書館長之前，我是一個母親，一個有著全職工作的職業婦女。

在親子共讀的路上，我也是一路跌跌撞撞。剛生老大的時候，初次為人母親手忙腳亂，儘管知道早期閱讀很重要，但已經沒有餘力去兼顧。直到孩子大班的時候，開始想要拿起繪本共讀，才發現她根本就坐不住，看沒兩頁就想跑掉。這讓我心裡有點洩氣，但還是耐著性子繼續講下去。過了一陣子之後，就發現她坐得住了。

老大大班的時候，老二正值小班，陪老二共讀的時候簡單多了，因為他從小看著姐姐聽故事，他也覺得自己可以好好坐著聽故事。到了老三，閱讀這件事情已經完全不需要擔心。我發現他會自己去拿書出來看，也會主動選書請我講故事給他聽。

雖然我沒有閱讀的習慣，也沒有閱讀的興趣，但身為母親，我內心依然是渴望自己的孩子可以閱讀。然而，培養孩子的閱讀習慣，沒有捷徑可走，我只能帶著她一起讀。

親子共讀說來容易，但我遇到很現實的問題：「不知道該共讀什麼書？」

當時，我尚未擔任圖書館長，我只是一個對閱讀相當迷惘的母親。

基於同事間工作上的協助和支援，我常常幫忙之前的圖書館長處理圖書館的館務，協助她辦理各種閱讀推廣活動。

我記得在一場閱讀推廣活動上，我認識了桃園小兔子書坊的店主，她送給我一本海狗房東的《繪本教養地圖：孩子需要的繪本180選》。[5]這本書從此成為浩瀚書海中的浮木，也成為我的航海地圖。

我在當中找到各種主題的繪本，抄下書名和索書號，一本一本到圖書館查找，借回家和孩子共讀。

我們都是被閱讀拯救的人

我不是唯一一個因為閱讀而獲得救贖的母親，《練習不聽話》的作者劉馥寧和我有同樣的歷程。她身為兩個孩子的母親，學生時期還是屈服在升學主義掛帥的潮流下，讀書只為考試，如果沒有考試，就不會去讀書。

她將書本比喻成藥方，是打通心脈的藥方。而且這帖藥方有靈性，會在適當的時機出現在她的生命中，沒有早一步也沒有晚一步，正好是我們需要它的時候。在她生命陷入低潮的時候，是閱讀拯救了她的命。6

《只工作、不上班的自主人生》的作者瓦基，也是部落格「閱讀前哨站」的站長，Podcast 頻道「下一本讀什麼」的創辦人。他原本在台積電擔任主管職務，任職了十年之後因著閱讀，決定改變人生的跑道。放棄人人稱羨的台積電金飯碗，投身進入說書事業，決心用閱讀傳遞美好。

他並非從小喜愛閱讀的人，卻因為打開書本，在書本中發現人生的寶藏。俗話說「書中自有黃金屋」，我想他肯定是發現書中的黃金比原本工作上的金飯碗更有價值。

所以他可以在書中勇敢地說「每個人都可以發掘真正的自己，打造自己真正喜歡的工作，同時獲得成就、獲得財富，讓人生不留遺憾。」

我想，我們都是被閱讀拯救的人。

3-3

為孩子而讀，也為自己而讀

——獻給家長的親子共讀小秘方（下）

越早開始越簡單——從漸入佳境到水到渠成

從小讓孩子熟悉書本，熟悉被父母抱在懷裡，熟悉父母的聲音。他會將閱讀和父母的愛做連結，除了喜歡聽故事之外，更是喜歡獨佔父母的時光。

當他可以開始坐著聽一分鐘，慢慢的就可以坐著聽三分鐘，能靜下來聽故事的時間會慢慢拉長。如果從小餵養他的是電視或是3C，習慣了影音聲光效果，要回到書本閱讀就有難度了。

培養親子共讀，第一胎會比較花時間，但第二胎開始有了哥哥姐姐的榜樣，你會發現共讀變得更簡單。我一直很慶幸，雖然老大親子共讀起步的晚，但總是開始了親子共讀這條路。陪伴老二老三，更是有倒吃甘蔗的感覺，

老大是我追著她講故事，到了老三是她追著你講故事。直到現在，每天晚上我還是講3本繪本。老三小女兒有時候看我比較累，還會自己跟我商量：「媽媽你講兩本，一本我講給你聽。」一直接從聽故事的人變說故事的人。

你無法給孩子自己沒有的東西。其實閱讀就是一個榜樣，「孩子是看著父母的背影長大的」。他看到你在看書，他看到你說故事，他就會覺得自己也可以看書，也可以說故事。

相反地，如果他看到你總是在追劇，總是在滑手機，那他也會覺得他可以這麼做，是理所當然的。

什麼是教育？我在藍偉瑩《教育，我相信你》這本書，找到最佳的註解：「孩子起床睜眼看到的一切都是教育。」[7]

如何展開共讀的第一步——讀就對了！

如果你讀到這，有這麼一點心動，想開始嘗試親子共讀的話，告訴你一個共讀的小技巧，就是「照著文本，直接把字讀過去」。

你不需要像兒童劇團那種誇張的表情和語氣，只要照著文字，順著自己對文字的感受，有一點節奏、有一點語調，把文字唸出來。你不用擔心自己講得很無聊，厲害的繪本會在圖畫裡面藏著線索。

一本好的繪本，除了文字在說故事，圖畫也在說故事。你要相信那些圖畫會cover你，孩子自然會在圖畫中聽懂你在說什麼，而且他還會發現你沒有發現到的小驚喜。

在共讀的經驗裡面，我常常顧著說文本，圖畫裡的小驚喜都是孩子告訴我的。這時候就稱讚孩子好棒好厲害，媽媽都沒有發現，你真的有用心觀察。當孩子被肯定的時候，就會增強他下次想要閱讀的動機。

親子共讀的重點在「共」，不在「讀」。你的陪伴比講出來的故事更重要。

如何選書——從自己喜歡的書開始

作家蔡崇達在《皮囊》這本書曾說：「走向自己內心，是通往他人內心最快的路徑」[8]

我認為選書也是一樣的道理，在茫茫書海當中該如何為孩子選一本書。？我認為最重要的大原則是「選自己喜歡的書」。

想要走向他人的內心，必須先走向自己的內心；想要為孩子選一本書，最重要的是先找到自己喜歡的那本書。

剛開始共讀時，我發現自己常常會講到睡著，尤其是自己沒有共鳴、覺得不有趣的繪本。後來我發現，要持續點燃自己閱讀的熱情，最好的方式就是選自己喜歡的繪本。

唯有這本書自己覺得有趣、好玩、有收穫，我們才會迫不及待想要講給孩子聽，希望和孩子共讀這本書。

能夠感動自己的，才能感動別人。我覺得父母不要給自己太大的壓力，不要認為一定要傳達哪些知識，或利用繪本去矯正孩子的某些行為。

親子共讀本身就是一種對話，一種開啟話題的橋樑，不需要帶有目的。我自己最喜歡那種無厘頭的搞笑繪本，就是看了覺得哈哈大笑很開心，忍不住想要和孩子分享，看看他讀了有什麼反應。

而且不知不覺當中，故事當中的情節和對話，會變成親子之間的小秘密。當講到某一件事的時候，只有我們兩個知道在說什麼，親子關係自然更靠近。

如果你連自己喜歡什麼書也不知道，或是覺得繪本好貴。告訴你一個好地方叫做「圖書館」，你可以去圖書館一次借好幾本繪本，孩子有興趣的就讀，沒有興趣的時間到就還給圖書館。

一段時間過後，你會發現小孩比較喜歡什麼樣的繪本，哪一本是孩子愛不釋手的。這時候你可以開始考慮買書，把孩子最喜歡、最常翻閱的書買回家，讓孩子有一種「這是我的書」的感覺。當一個人擁有一樣東西的時候，這樣東西在心中的價值就會提升。慢慢的書本在孩子心中就會佔有一席之地。

從為孩子而讀，到為自己而讀

在共讀中療癒自己，陪孩子重新長大一次。

美國心理學博士恰克斯佩札諾曾說：「所有你身上沒有療癒的部分，都會（在不自覺的狀況下）傳給下一代，因為孩子太愛父母，他們會自動承接父母生命的傷痛及碎片。」[9]

如果我們愛孩子，我們必須先好好愛自己。唯有父母是快樂且成熟的狀態，孩子才能有機會快樂的活出自己。

也就是說改變是從自己開始的，如同之前提到一個沒有閱讀經驗的大人，是難以提供孩子協助的。閱讀必須回到我們自己開始。

你或許覺得活到這把年紀，人生一切都已經決定或被決定，但《內在原力》這本書中提到一個觀念：「閱讀是靈魂的混血。」[10]透過閱讀，我們可以重生一次。

許多家長因為孩子接觸繪本，最後自己愛上繪本。在閱讀的過程中，我們內心的小孩先被安慰、被認同、被療癒。

對我而言，陪孩子共讀繪本，除了培養孩子的閱讀習慣，增進親子關係。更重要的是療癒自己的童年，讓自己和孩子一起重新長大一次。

持續陪著孩子共讀之後，我發現我開始對閱讀不再感到陌生，走進圖書館面對書架的時候也不會手足無措。漸漸的，我從閱讀孩子的書，慢慢開始閱讀大人的書。

剛開始是閱讀一些教養的書籍，希望能夠獲得更多教養的知識，參考別人的做法。慢慢地開始關注一些作家，加入一些閱讀社團，看看別人都在讀些什麼書。

「一本書會帶你找到另一本書。」

這是我這些年來閱讀的心得，只要從一本書開始，你一定可以找到線索，一條通往下一本書的道路。

在上帝的時區，一切都會準時的

陪伴孩子閱讀的過程就像跳棋，透過父母的引導，一步步發掘孩子的興趣，一步步培養孩子閱讀的能力。

有時候好像可以看到一條路可以直通閱讀的康莊大道，有時候孩子的注意力又被其他事物吸引過去。日常的閱讀培養看似龜速移動，但請相信自己所做的一切，都是為了跳很遠在做準備。

這就像是玩跳棋，身在局中看到一條通路跳過去，別人也會跟著移動棋子。有的時候一步就可以跳很遠，但多數時候你都在龜速移動，為跳很遠做準備。

有一首在網路上流傳的小詩《每個人都有自己的時區》，最後一段我非常喜歡：

生命在於等待正確的時機行動。
所以，請放輕鬆。你並沒有落後。
你也沒有領先。
在上帝為你安排的時區裡，一切都是準時的。[11]

陪伴孩子閱讀和自己閱讀的路上，每個人的進程都不同。儘管我直到成為母親的時候，才為了孩子重拾書本，感受到閱讀的美好。雖然好像晚了點，但這是我生命的時區。

或許我們現在投入的，沒辦法在短期內開花結果，但我相信在上帝為你安排的時區裡，一切都會準時的。

館長日常　月考前可以看課外書嗎？

男同學：「館長，我們老師說下禮拜月考前不可以看課外書。」

女同學：「齁～老師說月考前不能來圖書館借書。」

男同學：「我是來還書的。」

你會禁止孩子月考前看課外書嗎？我是覺得要看年級，中低年級課業比較簡單，好像也不用花這麼多時間讀書。高年級以後，到國高中階段，課業比較重，需要花費的時間比較多，但也不盡然完全不能讀課外書。

讀一個段落，留個一小段時間放鬆一下。就像大人工作在忙的時候，還是會想要有一小段時間滑個手機、追個劇。只要能掌握自己讀書的進度，也能夠掌握好休息放鬆的時間，我覺得考前看點課外書也無妨。

我認為如果觀念都懂了，多花幾個小時苦讀，只為了成績從九十八分到一百分，那就不必了。這段時間可以去做其他想做的事情，獲得更多的生活體驗。增進親子關係，遠比這兩分來得重要多了。

從最近下課到圖書館的人潮看來，大部分孩子都抱著「平常心」吧！

3-4

閱讀就像玩溜滑梯

——閱讀，沒有適讀年齡的差別。

曾經有一個讀者問我：「三個孩子的年齡差距，一起聽故事沒有問題嗎？」

身為三個孩子的母親，講故事都是三個孩子一起聽，純粹覺得CP值比較高。因此對於選書上沒有特別去理會「適讀年齡」這件事。

但在實務工作上，我常常遇到讀者詢問：「我的孩子就讀某年級，請問館長有推薦的書單嗎？」

關於這個問題，說真的不太好回答。雖然許多童書的封底，都會貼心備註這本書的適讀年齡，建議某個年齡區段的孩子閱讀。

事實上，每個孩子接觸閱讀的時間不同、興趣不同、歷程不同，很難說某個年齡一定適合讀什麼書。

從小就培養閱讀經驗和習慣的孩子，低年級同學還在學注音的時候，她早已學會認字；當同學在讀繪本需要圖像輔助，她已經拿著橋梁書看得津津有味。也有中年級的孩子，當同學剛開始讀橋梁書，要進入文字書的階段；她已經抱著一本又一本的輕小說開始閱讀。

我覺得，閱讀像玩溜滑梯。

一開始需要費力爬樓梯上去，像是從圖文書慢慢到文字書。但當孩子經歷這歷程，站上溜滑梯的頂端。從更高的視角，看到不一樣的風景之後。接下來，只要坐在滑梯上，身體自然會往下滑。

玩溜滑梯的快樂，只有真的從上面溜下來的人，才可以體會——這就跟閱讀一樣。

1. 閱讀環境比適讀年齡重要

在談倒適讀年齡之前，我認為創造閱讀的環境更為重要。先有閱讀的興趣，再來討論適讀的年齡。

除了父母從小陪著孩子親子共讀，讓孩子走入閱讀的世界。我發現家中如果有兄弟姐妹，這些孩子的閱讀也會互相影響。

以我們家為例，大女兒和小女兒差六歲，當大女兒中年級的時候，小女兒才讀幼兒園小班。我和大女兒共讀橋梁書的時候，不會只講給她一個人聽，我會請另外兩個孩子一起坐下來聽。

身為講故事的母親，講一次一個人聽，跟講一次三個人聽，我當然選擇後者。這樣比較符合成本效益，CP值比較高。

因此小女兒除了繪本之外，從幼兒園就開始聽比較長篇的故事，甚至對長篇故事比繪本更有興趣，因為長篇故事的結構更完整，更有轉折和驚喜。更重要的是因為文字比較多，自己看不懂，所以更依賴父母共讀說給她聽。

2. 適讀年齡不等於適聽年齡

一本書孩子還沒有辦法自己讀，不代表父母不能用共讀的方式講給她聽。當孩子聽久了以後，她自然而然會覺得我也可以讀這本書。

孩子閱讀的喜愛是不區分文本類型的，文本的類型是給家長和老師一個大致上選書的依據。並非絕對要照著適讀年齡提供文本，而是照著孩子閱讀的步調，自然而然遊走在各種文本之間。

打個比方：大家在追劇的時候，會特別去區分看自己的年齡，二十歲只能看清純愛情劇、三十歲只能看職場奮鬥劇、四十歲看家庭生活劇、五十歲只能看什麼嗎？

會去規定一集只能看三十分鐘或六十分鐘、只能看有五集還是十集的，或是要看電視劇還是電影嗎？想看，自然就會看下去了，對吧？其實閱讀也是如此。

去幼兒園裡講橋梁書

從老大讀幼兒園開始，我一直都有去幼兒園講故事。一方面為了公平，一方面自己很愛講，到老三讀幼兒園繼續當故事媽媽，只是現在多了圖書館長的身分。

以往都是講繪本，感覺幼兒園就是要講繪本。平常我們家講故事都是三個孩子一起聽，所以我們家老三是跟著哥哥姐姐聽橋梁書，甚至是青少年小說。

我想，如果我的孩子可以聽懂，其他的幼兒園孩子應該都可以聽懂。《小熊兄妹點子屋2：不能說的三句話》這本小女兒超喜歡，一直拜託我去學校講給同學聽。**12**

因為是橋梁書，篇幅比較長，文字多圖畫少。需要有一些刪減，重點的提示，讓孩子可以抓到故事的重點和脈絡。準備的過程中，還是有點擔心孩子們會聽不懂。

事實證明，是我多慮了。

儘管女兒所在的學校是蒙特梭利混齡教學，對象從幼幼班到大班都有。經過了兩個場次的實驗，事實證明故事沒有年齡的分別，孩子們都聽得懂，而且聽得哈哈大笑。

「有那些話不能說？」我從這個提問開始。

孩子開始舉手回答，

第一個孩子說：「不好聽的話。」

第二個孩子說：「罵人的話。」

第三個孩子說：「靠夭。」

我說，這就是不好聽的話，不用真的說出來。

故事最後小熊哥哥需要講一百句好話來解除魔法，透過故事孩子知道什麼是好話。在我離開的時候竟然有孩子跑來跟我說「你辛苦了！」「路上小心！」聽得我好感動，連老師也又驚又喜。

對國中生分享大人的書

「你家國中生都讀那些課外書呢？」

「國中生只能讀青少年的讀物嗎？」

一般國小老師推廣閱讀，會針對孩子的年齡推薦。那到了國中，該推薦什麼書給孩子讀呢？

我們鎮上有一位國中老師，把孩子當大人，他把一般大人讀的書，用國中生聽得懂的方式、國中生聽得懂的語言，把好書推薦給孩子們。

這個老師每個禮拜自己辦讀書會，一周用三十分鐘的時間自己做簡報，用國中生的語言，說書給孩子聽。一點點吐槽、一點點幽默、一點點直白、一點點搞笑，總之就是國中生會買單的方式。

有天老師分享的書籍是《猶太人成為全球頂尖人物的學習法》，這本書在講學習法，我以為國中生應該不會有興趣，但孩子卻聽得津津有味。[13]

一個小時的自修課，自願到教室聽老師說書。短短三十分鐘，我筆記寫得滿滿的，感覺掌握到整本書的精髓。

我開始思考，國中生能讀的書比我想得更廣，是我們把孩子的閱讀範圍限縮了。也許，當孩子可以透過閱讀，理解文本的時候，所有的書籍都為他所用，已經沒有年齡的區隔。

如果一本書你三十歲才讀，覺得好像太晚讀到它，何不在孩子十三歲的時候，就把這本書給他呢？

如同梁語喬在《曾經，閱讀救了我》書中提到不要限制孩子看什麼書。

「當他們有了閱讀能力之後，他們會看的書、看得懂的書，早就超過我們所設定的範圍。所以在閱讀這件事情上，千萬不要讓自己把孩子限制住了。」[14]

書中更提到，本來她讀的書比孩子多很多，但自從孩子養成閱讀習慣後，老師的閱讀量反而遠遠落後這群孩子們。

孩子需要的是一座橋樑，是一個獲取好書資訊的管道，讓書和他們產生連結，並且相信閱讀對自己是有幫助的，進而去影響他們的生命。

小學生閱讀大人的書

下課十分鐘，男孩抱著幾本厚厚的書，《鋼鐵人馬斯克》、《貝佐斯新傳》、《孔子新傳》……等等，看起來是大人在讀的書。

「你是幫爸爸媽媽借書嗎？」我問。

「不是，這是我要自己看的。」孩子回答。

「你怎麼會想看這些書呢？」我繼續問。

「因為我們作文要寫人物傳記，所以我借這些書回去參考。」孩子回應。

這孩子中年級，放學之後都會自己到圖書館拿作業出來寫，拿圖書館的書來看。時間到了，再自己走路回家。

對於把閱讀當日常的孩子來說，書本沒有大人和小孩的書的區別。只要對他有用，他有興趣的，就是值得他閱讀的書。

每個人興趣不同，程度也不同，就讓孩子走一趟圖書館自己選書吧！

3-5

讓閱讀成為生命的轉捩點

——「他們只是少了機會，少了那個能帶給他們故事的大人而已。」

今年暑假，圖書館來了一個不愛看書的孩子，家人跟我們說，他從小就不愛看書，但是暑假沒地方去，所以就來圖書館。

不愛看書的孩子，館員會陪他聊天，然後帶著他一起工作。他也會來敲館長室的門，有需要幫忙的地方他也一起做。兩個月過去，我發現他好像開始看書。開學之後，我看到他每天都來圖書館借書，而且呼朋引伴、找同學一起來。

在他的身上，我看到推動閱讀，要從建立關係開始，當我們拉近與人的距離時，就可以拉近與書的距離。書本沒有腳，但是我們有，我們可以想辦法走出去，我們可以多做一點什麼，我們可以走進孩子的生命。

許慧貞老師在《最後抱他的人》這本書中有一句話：「誰說偏鄉的孩子不喜歡閱讀，他們只是少了機會，少了那個能帶給他們故事的大人而已。」15

圖書館像是孩子生命中的驛站，每個孩子都像是圖書館的過客，也許待久一點，也許只有一面之緣。但我們不能小看圖書館這個場域，無論是裡面的書帶給孩子的啟發，或是裡面的人帶給孩子的溫暖和希望。

我想起一本青少年小說《那又怎樣的一年》。

主角道格是一個有閱讀障礙的孩子，在家遭受父親和哥哥們的言語及肢體暴力，在學校的教育體制內格格不入。你可以想像他說話的口吻：「那又怎樣！」一切的劣勢在他身上，讓他已經不知道到底有什麼好在乎的。

然而，一間圖書館改變了他，圖書館員老先生透過一本《美洲鳥類》圖鑑，打開他學習的視野。一份送貨打工改變了他，「那又怎樣」的少年發現，原來他還可以為別人做些什麼。

我很喜歡書中一段描述兩隻白腰叉尾海燕的句子：「那兩陣風把這兩隻海燕吹在相反地方向，可是他們卻趁此在畫中相遇。這就是這幅畫的重點：相遇。即使彼此是朝著不同的方向前進。」16

在每一張圖畫裡，拿著畫筆學習構圖、學習調色，事實上他也為人生在構圖，使黑白的人生變得光彩。不曾走進圖書館的他，每週都會去圖書館報到。不曾畫圖的他，拿起了畫筆。

有閱讀障礙的他，讀了《簡愛》，還獲得在紐約百老匯劇場演出的機會。

當你釋出善意，這個世界也會卸下武器

剛開始你會覺得這個少年真的很悲慘，但慢慢的、慢慢的，當他不再把自己當受害者看待的時候，他也就不再是時代巨輪下的受害者。

父親家暴又怎樣？學校同學老師霸凌又怎樣？大哥越戰回來失去雙腿又怎樣？二哥總是被當作小偷又怎樣？媽媽總是默默承受又怎樣？

英文課老師透過《簡愛》的故事告訴他：「這世界有一些事情是我們無能為力的，之所以會發生那樣的事並不是我們的錯，雖然我們還是必須面對。不過在這個世界上，畢竟還有一些事情是我們可以努力的。」

他看著每一隻鳥，也看懂了自己的人生。不再是那個一切「那又怎樣」的少年，漸漸地，他為生命週遭的人帶來改變。

原本一直在他身上貼標籤的校長告訴他：「很抱歉，我錯了。我在很多方面都錯了，我真的很抱歉。……我認為你有能去到任何你想去的地方。」

從故事的開始，他一直把家用「垃圾堆」這三個字來代替，故事結束，他說「這裡不再是垃圾堆了。」你覺得你的人生像是垃圾堆嗎？有些事也許你不知道該跟誰說，你可以讀一讀這一本書，或許你就可以聽到內心微小的聲音：

「那又怎樣！別讓這個世界定義你是誰。」

1 王雪岩《父母並非不愛你，卻又讓你傷痕累累的「隱性虐待」：如何療癒童年傷痕，走出原生家庭所給的痛苦情緒》（方言文化，2022）。
2 林怡辰《從讀到寫，林怡辰的閱讀教育：用閱讀、寫作，讓無動力孩子愛上學習》（親子天下，2019）。
3 整理鍊金術師小印《財富自由的整理鍊金術：斷捨離變身金錢魔法，打造心靈×空間×時間×財務自由人生！》（遠流，2022）。
4 林怡辰《從讀到寫，林怡辰的閱讀教育：用閱讀、寫作，讓無動力孩子愛上學習》（親子天下，2019）。
5 海狗房東《繪本教養地圖：孩子需要的繪本180選》（三采，2016）。
6 劉馥寧（芬妮Fannie）《練習不聽話：30代女子的心靈獨立之旅，成就自己，也找回剛剛好的母女關係》（遠流，2022）。
7 藍偉瑩《教育，我相信你》，P.157（天下文化，2020）。
8 蔡崇達《皮囊》（新經典文化，2017）。
9 何翩翩《為管教立界線：翩翩老師的25個心法，引導孩子邁向獨立》（親子天下，2022）。
10 愛瑞克《內在原力：9個設定，活出最好的人生版本》（新樂園，2019）。
11 取自網路，作者佚名。
12 哲也《小熊兄妹的點子屋2：不能說的三句話》（親子天下，2019）。
13 張化榕《猶太人成為全球頂尖人物的學習法》（遠流，2020）。
14 梁語喬《曾經，閱讀救了我：現在，我用閱讀翻轉一群孩子》（寶瓶文化，2015）。
15 許慧貞《最後抱他的人》（寶瓶，2020）。
16 蓋瑞·施密特《那又怎樣的一年》（未來出版，2012）。

第4章

用閱讀陪孩子重新長大一次

4-1

孩子是看著父母的背影長大的

——孩子的樣子，就是父母的鏡子。

我有幸受邀參加二〇二二天下雜誌國際閱讀教育論壇，擔任專題講座的與談人。這次論壇的主題是「重啟閱讀－擁抱大學習潮」，討論疫情時代停課時間造成的學習損失和惡化。關於重啟閱讀，我認為這個「重啟」所指的不僅是針對疫情停課受到影響的孩子，更是針對那些很久沒有翻開書本的大人。

孩子的樣子，就是父母的鏡子。我的女兒說得更直白，她直接告訴我「孩子是父母的照妖鏡。」父母在孩子身上看到的，其實不是孩子，是自己。

《打造兒童的閱讀環境》一書中提到：「一個從不閱讀或缺乏閱讀經驗的大人，是難以提供協助給孩子的。」[1]

一個人給不出自己沒有的東西。如果你沒有錢，你就拿不出錢來；如果你沒有感冒，你就無法將感冒傳染給別人；如果你沒有閱讀經驗，你一樣拿不出閱讀經驗來。

許慧貞老師在《最後抱他的人》這本書也說到：「曾經讀過的每一本書，都在形塑現在的我。成為老師之後，一本本的書又為我開啟我和孩子的對話，讓我有機會參與他們的生命故事，給予及時的陪伴與支持。」[2]

還好，閱讀這件事沒有年齡限制，無論你現在幾歲、現在有沒有閱讀習慣，只要你願意拿起一本書，隨時都可以開始。

1. 讓孩子看見你閱讀的樣子

孩子眼中的你，通常是什麼樣子呢？

閱讀的氛圍是大人創造出來的。就像所謂「鏡像神經元」的概念，家庭教育、同儕和這個社會都像是一面鏡子，只要你看久了，自己也會變成那個樣子。所以創造閱讀的環境非常重要。父母看書，小孩就看書；父母滑手機，小孩也跟著滑手機。

在〈媽媽的背影，孩子的正面〉一文中，溫美玉老師坦言：「當你忙著向外舉棋不定、擔心憂愁、驚慌失措或挑三揀四之時，你在孩子全看在眼裡；當你樂觀面對、微笑向前、自信無懼或謙和以對的同時，孩子絕對深受影響。」[3]

當我們問到孩子爸媽是什麼樣子，孩子的回答經常是：工作、上班、家事、照顧，工作和家庭蠟燭兩頭燒，有時間就放空滑手機、追劇。

我在想，我們可不可以有一段時間，能留下一個閱讀身影。讓孩子看到你拿起一本書，靜靜地坐在家中某個舒適的位置，泡一杯茶或咖啡，享受閱讀。

讓孩子看到你閱讀的樣子——在閱讀中沉思的樣子，在閱讀中滿足的樣子，在閱讀中自信的樣子。讓孩子喜歡正在閱讀中的你，他就會也想跟你一樣，成為一個會閱讀的人。

不妨回想看看你曾看過的畫面或圖片：一個人拿起一本書靜靜地閱讀。儘管不知道他在閱讀哪一本書，也不認識他，但這時候你內心可能會有一種時間暫停、空氣凝結的感覺。有一種平靜和安定的感覺由內而外散發，甚至會讓你在心中默默讚嘆：「真好！我也想跟他一樣。」

你曾經有夢想嗎？或許當了父母，你覺得人生應該定型了，為了生活、為了孩子必須放棄自己的夢想，又或者你根本還沒有找自己的夢想。

郝明義在《越讀者》這本書中談到閱讀和夢想的關係。一種是因為我們閱讀所以發現了一個夢想，自己的人生因而改觀；另一種是因為我們先有了一個夢想，所以透過閱讀來累積自己前行的資糧，因而改變自己的人生。[4]

讓孩子看見正在閱讀的你，看見充滿夢想的你。唯有我們在閱讀中發現夢想，或是在閱讀中實現夢想，孩子才會相信閱讀的魔法是真真實實的存在。

你會發現：「閱讀是靈魂的混血」，這句《內在原力》中提到的話，說的是真的。你以為已經註定的命運，已經被決定的人生；因著閱讀，有了重生的可能。

2. 讓閱讀本身成為一種獎賞

前面提到《從讀到寫》書裡的一則小故事：有一群人上了天堂，上帝看見他們腋下都夾著書，轉身面露羨慕臉色，告訴天使：「他們不用任何獎勵了。因為沒有人和獎勵能滿足愛閱讀的人。閱讀就是最好的獎勵。」[5]

圖書館時常舉辦各種閱讀推廣活動，為的就是創造一個讓孩子有機會遇見書本的契機。為了增加孩子們走進圖書館借書的動力，我們常常發想一些有趣的活動和獎勵機制，透過小禮物的外在動機引起孩子願意閱讀的內在動機。

很多圖書館都會辦借閱集點活動，借幾本書可以蓋一個印章，蓋幾個印章可以參加抽獎，或是蓋幾個章可以換什麼小禮物。雖然抽獎不代表會得獎，小禮物真的只是小禮物，但孩子們總會抱持著希望和期待，踴躍參加活動。

這些活動本身都只是一個媒介、一種方法，為的是讓孩子們願意走進圖書館，願意多借幾本書回家，讓其中一本書有機會開啟他喜愛閱讀的大門。

活動可以創造外在動機，但只有自己在閱讀中得到些什麼，才能創造屬於自己的內在動機。

閱讀推廣者所做的一切，無非是讓讀者有機會流連在書海中，期待在浩瀚書海當中，有一本書的某一段文字照亮他，讓他突然淪陷，發現書本是生命中不可或缺的東西。閱讀不僅是快樂的，而且是有回報的，這個回報只有閱讀的人自己明白。

「閱讀就像一場不跟別人比賽的馬拉松。」閱讀的目的不是期待能在未來獲得什麼好處，而是這件事本身就是一種獎賞。

3. 用閱讀陪孩子重新長大一次

陪伴孩子閱讀的這些年，看似為孩子而讀，卻是為自己而讀，收穫最多的是自己。

在我還是小孩子的年代，沒有這麼提倡課外閱讀，能夠獲得的閱讀資源也非常有限。隨著時代轉變，各式各樣的繪本、橋梁書、圖像小說、兒少小說百花齊放，有各式各樣的文本可以選擇和閱讀。

繪本又稱為圖畫書，以往認定為是給還不識字或是還在認字階段的孩子閱讀。當我開始陪伴孩子共讀繪本後，我發現繪本不僅適合孩子，也很適合大人。繪本的創作者大多是成人，他們能用淺白易懂的方式表達某個想傳達的理念和想法。

孩子或許可以讀出文字的意思，但大人更能讀出作者創作背後的心意。我們會將繪本所要傳達的和自己的生命經驗結合，在繪本中讀出自己的故事。像是最近讀到《男孩、鼴鼠、狐狸與馬》這本繪本，書中只有四個角色，他們之間的對話卻深深觸動我的心。

我記得書中有一個對話，男孩問鼴鼠說：「你有最喜歡的一句話嗎？」鼴鼠回答：「如果第一次沒成功，先吃口蛋糕再繼續。」孩子們讀到這可能會發笑，覺得鼴鼠很好笑，「吃一口蛋糕再繼續」怎麼會是最喜歡的一句話，根本是鼴鼠在搞笑吧。6

在我看來，大人的世界就是如此。面對失敗、傷心、難過，我們不能像孩子一樣發洩情緒，什麼都不做，等著別人伸出援手。多少時候，我們是心裡帶著傷痛、眼裡含著淚水，卻仍然持續做著每天都該做的事——這就是過日子。

「生活不容易，但你是被愛的。」

書中的這句話，深深的撫慰我。我也想告訴你：無論你是誰，無論你在哪裡，雖然生活不容易，但你是被愛的。

陪伴孩子閱讀的過程，其實就是回顧自己的生命歷程。這不單是為了陪伴孩子，同時也是在閱讀當中療癒和修復自己兒時的傷痕。

4-2

和孩子分享你閱讀的書

——你所分享的東西，可能開啟另一扇閱讀的大門。

許多父母會覺得，隨著孩子年紀增長、少了親子共讀的時光後，孩子變得可以自主閱讀，但自己好像就少了和孩子聊天的話題，不知道要和孩子談什麼。這時候，書本就是開啟話題很好的媒介。

我在家中閱讀的時候，孩子總會湊上來看看我，也看看我手上的書，接著問：「媽媽妳在看什麼書？」

這突然一問，有時候我還真的答不上來，只得想辦法用簡單幾句話告訴孩子我現在正在讀什麼書。我發現，為了要和孩子說明我正在讀什麼書，我必須及時提取剛剛閱讀的內容、加以統整，再用孩子可以理解的話說出來。

這件事對我來說就是一個輸出的機會，就像費曼學習法的理念「以教為學」，雖然我不是以教學為目的跟孩子分享，但這個分享和互動的過程，能讓我對自己所閱讀的書印象更深刻——更重要的是，這也能創造一個和孩子對話的機會。

之後，我開始在回家後和孩子分享我閱讀到的東西。不要以為孩子聽不懂，不要限縮了孩子的閱讀和理解能力。你所分享的東西，可能開啟另一扇閱讀的大門，也可能將某個想法種在孩子心裡。以下和各位分享我的幾個小小收穫：

1. 用創意化劣勢為優勢

我在《塔木德親子財富課》這本書中，讀到了關於猶太人如何善用自己的創意、利用自身不利的因素反過來創造成功。[7]

書中舉了一個有趣的例子：一位七十七歲的猶太人佩拉，在臨終前託付家人幫他刊登一則廣告。

家人心想佩拉即將走到生命的終點，應該是想藉此反思人生或留下什麼名言吧？但是廣告內容卻出乎意料：「我就快要去天國了，如果有人想對已經在天國的家人說什麼，歡迎來告訴我，我會幫您轉達的，每人只收一百美元。」

沒想到反應出乎意料地好，人們紛紛來到佩拉家門口排隊，請他幫忙「傳話」。直到他臨終前，他就這樣躺在床上賺了好幾萬美元。

作者鼓勵我們在檢視孩子「缺少什麼」之前，應該先觀察孩子有沒有「戰勝不足」的能力。利用創意性，將自己的劣勢扭轉為優勢。

英文單字很神奇，「impossible」（不可能）和「I'm possible」（我能）只差一點。我期待我的孩子，能在困境當中，善用自己的「一點」創意，將劣勢轉化成優勢，讓不可能變成可能。

2. 向唐鳳學習「在夢中加班」

某一天我在閱讀《唐鳳的破框思考力》，書中有個觀念令我印象非常深刻，那就是「在夢中加班」。唐鳳提到，當他隔天有重要專案要執行的時候，他的做法並非熬夜準備，而是反其道而行——提早一個小時入睡，將需要統整和記憶的工作，交給睡眠中的大腦去執行。[8]

這個觀念非常有意思。即使是唐鳳這樣的天才，依然如此倚賴睡眠。我在《不熬夜，不死背，睡前一分鐘驚人學習法》及《為什麼要睡覺》這些書中，也曾讀到類似的概念。[9][10]

主要的原因在於：大腦在我們睡眠的時候會重新整理白天的記憶，將短期記憶寫入長期記憶中，並且串聯我們認為不相干的部分，激發我們的創意，提供新的思考方式。

那時候女兒正面臨國中的第一次月考，我向她分享我在書中所讀到的內容。月考前一天晚上九點不到，女兒就笑著對我說：「我要去睡覺囉！」從她的笑容我看得出來，她不是真的想睡，而是聽了我的建議，到夢中加班去了。

3. 不用很厲害才開始，要開始才會變得很厲害。

有一次我擔任某個競賽的工作人員，回家和孩子分享今天的工作。

「媽媽，妳應該當評審吧！」女兒說。

「媽媽還沒有這麼厲害啦！」我回答。

「媽媽妳不是跟我說要把握機會，先說會再趕快學會。」女兒說。

女兒的回應令我相當驚訝，於是我問她：

「妳還記得媽媽那時候怎麼跟妳說的嗎？」

她馬上把《故事學》這本書裡面，講到安・海瑟薇當時如何爭取到《斷背山》女主角這個角色的故事，講一次給我聽。[11]

故事的大意是當時李安導演在徵詢安・海瑟薇的演出意願時，問她一個問題：「你會騎馬嗎？」安・海瑟薇馬上回答：「我會。」

直到電影拍完過幾年，安・海瑟薇才坦承說其實她當時根本不會騎馬。但她選擇先把握機會，不會的趕快再去學。

當年我看書的時候，隨口和女兒分享了這個故事，沒想到她一直記得。於是我把書架上的《故事學》重新拿出來讀一次——這次不光是自己閱讀，還直接口述書中的小故事，用講故事的方式說給三個孩子聽。

連小女兒聽完安海瑟薇的故事，也告訴我：

「所以，以後老師問我會不會？我就說我會，然後趕快去學！是這樣嗎？」

有句話說：「不用等到很厲害才開始，要先開始才會變得很厲害。」我希望，我的孩子都能擁有這樣的勇氣。

4-3 對孩子閱讀的期待

進出圖書館的孩子，大部分是學齡前到國小中年級，高年級的孩子比較少。至於國高中生的人數就更少，國高中生來圖書館大部分都不是來借閱圖書館的書，而是使用圖書館的場地，讀自己學校的書本，準備考試。

學齡前的孩子，家長比較會花時間陪伴，花時間帶他們到圖書館借書，親子共讀。因為孩子還不識字，需要父母的協助，共讀的過程可以培養孩子的注音能力、認字能力、表達能力；等到孩子慢慢長大、開始可以自己閱讀之後，父母共讀的擔子就卸下了。這時，我們會把閱讀的責任交棒給孩子，覺得該是讓孩子自行閱讀的時候了。

然而，這個階段的孩子課業日趨繁重，即將進入青春期，更受到同儕的影響，能留給閱讀的時間越來越少。儘管孩子建立了閱讀習慣，有了閱讀的自主性，但我還是認為父母不應該從孩子的閱讀世界完全撤離。

我在圖書館見到許多家長，已經很久沒來圖書館，他們走進圖書館的第一句話都是：「小孩國小畢業之後，我已經很久沒有來圖書館了。」

我們時常會將親子共讀當作階段性任務，等孩子具備自己閱讀的能力之後，就主動退出孩子閱讀的世界。但我認為父母可以不用急著出場，我們可以繼續陪伴在他們身邊，多走一段路。

尤其是青少年階段的孩子，你會發現這階段的孩子食慾特別好，開始長肉，這時候長輩都會告訴我們「小孩子要先長肉，之後才會抽高」。當我們意識到孩子進入青春期，就會格外注重他們在飲食方面的營養，認為要有充足的營養才是長高的關鍵。

然而，這些處於青春期階段的孩子們，他們的心智是否也能獲得充足的營養與餵養呢？

郝明義在《越讀者》中提到，中學生的心智，正進入一個發育的關鍵期，而閱讀是心智發育的關鍵要素。如同身體的成長已經讓他們渴望可以獨立行使，心智也是如此。[12]

《剛剛好的距離》這本書提到一段青少年的內心世界，我覺得形容得相當貼切：「他們正努力掙脫童稚的皮囊，急忙要披上大人的外衣，才發現太大還不合身，又慌張地想躲回童稚裡，卻發現再也擠不進去。」在青少年的這個階段，孩子不光是介意自己外表的模樣，更是在乎內心世界的自己是誰。[13]

外表的模樣我們可以看得到，但內心我們那個看不到的部分，更需要透過閱讀來理解，透過閱讀來關照。身為父母的我們，可以怎麼做呢？以下向讀者分享幾個訣竅。

1. 晚一點撤退的父母

你可能會問：他都已經會自己看書了，為什麼還需要父母的陪伴？

在孩子進入青少年階段，不需要親子共讀，由父母講故事給孩子聽，但不代表需要一併省略親子閱讀的時間。

這時候父母的角色可以從共讀的參與者，變成一旁的陪伴者，默默的守候在孩子身旁。那麼，要怎麼讓孩子感受到你還在他閱讀的圈子裡面呢？方法就是「拿起一本書，開始閱讀」。

當孩子在閱讀的時候，請你也拿一起一本書開始閱讀，讓親子在同一個頻率上。而不是孩子在閱讀，但你在看手機；而不是孩子在閱讀，你在追劇。

孩子是看著父母的背影長大的。你可以讓孩子看見，閱讀不是為了應付考試，閱讀不是為了讀給誰看；閱讀是一個終身的習慣，而非階段性的任務。你可以讓孩子看見：閱讀沒有保存期限，閱讀的世界沒有過期這件事。

當父母也是一個閱讀者，當孩子看到你也在閱讀的時候，你們之間就會有一個頻道是相通的。只要透過自己的行為，就能讓孩子知道，閱讀是可以陪伴一輩子的習慣，而不是為了應付升學考試的階段性任務。

2. 讓閱讀陪伴孩子的第一次

還記得孩子呱呱墜地的時候，我們會瘋狂地拍照記錄，記錄下孩子第一次皺眉、第一次翻身、第一次抬頭、第一次跨出人生的第一步。這些孩子的第一次，我們都在身旁看著、陪伴著。不僅如此，我們還會拿起相機、手機拍照，記錄下這一生僅有一次的初次成長經驗。

不管是第一次翻身、第一次抬頭、第一次爬行，還是第一次站立，我們都在一旁協助，用力地為孩子們喝采，用心紀錄這些美好的時刻。

然而隨著孩子漸漸長大，有許多孩子的第一次我們無法陪伴在他們身旁，第一次離開父母融入班級、第一次跟同學玩、第一次面對學校考試……隨著孩子年紀增長，父母年華老去，有太多的事情孩子必須自己學習面對。

當我們沒辦法陪伴在他們身邊的時候，有什麼東西是可以一直陪伴他們長大的呢？我認為答案是「閱讀」。

我們無法一直陪在孩子身旁，參與他的每一個時刻，陪伴他面對人生不同階段的問題，但我們可以讓他知道，如果他有需要，他可以在書裡面找到他要的一切。如同林怡辰老師曾說：「浩瀚的書海中，一定會有一本懂你的書。」

有句話是這樣說的：「不要用過去的經驗，教導現在的孩子，面對未來的問題。」

我們沒辦法預測未來長什麼樣子，我們現在認為的好方法在未來不一定適用。父母的叮嚀無法派上用場的地方，就交給閱讀吧。無論世界怎麼變化，一定有一群人願意寫下他的觀點和想法，出版成書回應當代的需要。

父母想要放心放手，要做的不是給孩子重重的行囊，帶著所有的行李前進，而是教他如何生存、如何應對這個社會的能力，讓孩子無論身在何處，都可以找到方法存活下去。

培養孩子的閱讀習慣，是最有價值的遺產。

3. 讓閱讀陪伴內在小孩長大

前陣子，我學到關於「內在小孩」的概念。大意是當一個人童年的某個部分沒有被滿足，這個人的內在小孩就會停止長大，像是被釘在牆上卡住了一樣。即使我們的身體持續成長，隨著年歲增長，走過了成年的門檻，被定義為一個大人，但我們心中始終有一個兒時未被滿足的自己。

這個內在小孩會在你成年後的某一天被察覺：你會開始看到自己的小時候，也許是物質上的匱乏、也許是不被認同。當你想要好好回到孩提時期，好好滿足、好好安慰自己的時候，卻又必須考量自己現在的身分、地位、社會規範——我真的可以這樣做嗎？我可以這樣任性一回嗎？

相信已經長大、已經為人父母的我們，心裡都有這樣一個內在小孩。

《練習不聽話》書中引用一段周志建老師的話：「當你澈澈底底地認回受傷的自己、焦慮的自己、悲傷的自己、憤怒的自己，我們才能為那個自己，找到一個安放的位置。」[14]

我在想，如果我們需要這麼費力地去面對自己的內在小孩，去補償兒時心裡的空缺，那何不在孩子還是孩子的時候，好好地照顧他們、關注他們的需要呢？讓這些孩子的內在小孩得到滿足、跟著身體一起長大，如此一來，孩子在未來可能就不用花那麼大心力去處理內在小孩。

如果從這個角度去看，閱讀就不是為了讓孩子學會拼音寫字、為了升學寫作，而是一個陪伴孩子內在外在一起長大的必經之路。

如果從內在小孩出發，推動閱讀就不只是閱讀，而是鋪一條讓孩子可以安心長大的路。如果從內在小孩的觀點出發，閱讀的焦點就不是為了那些看的見的分數而存在，而是為了內心深處那些看不見的需要而存在。

多一點的善意、久一點的陪伴，就可以讓孩子的內在小孩跟著身體一起長大；那些生活中的匱乏、心靈的空缺，以及父母不能給的東西，可以透過一本書獲得同理和安慰。

《隱性虐待》這本書的作者是一位心理諮商師，但因為兒時的經驗，他也曾去做過心理諮商。他的心理師很訝異，他經歷這麼多痛苦還能夠活下來。

他的心理師說：「一定是有什麼我們還不知道的力量，讓你有了超強的修復能力。」作者回答：「我能想到的，是我小時候曾讀過的那些書。在書本上吸取的養份，已經足夠幫助我建立起對世界的美好期待，足夠相信這個世界上有美好的事物存在，儘管那些美好存在我永遠到不了的地方。但是，只要存在，就有希望。」[15]

透過閱讀，我們可以修補自己千瘡百孔的過去，安撫失落已久的內在小孩；透過閱讀，我們可以為孩子打造一個愛的堡壘，讓他的內在小孩獲得滿足，跟著身體一起長大。

作者說：「所謂的成長，就是在不斷長大的過程中，逐漸看到自己的缺損，慢慢找回自己缺失的部分。」仔細聆聽你內在小孩的聲音，透過書本，讓我們的內在小孩跟著我們的孩子一起重新長大一次。

4. 知道「不只有我這樣」

當孩子面對困境時，傾向認為只有自己一個人面對，都沒有人能理解他的情況。「只有我是隔代教養的小孩」、「只有我爸媽離婚」、「只有我的媽媽是新住民」。當這個世界給這群孩子貼上了一個標籤，孩子就會告訴自己：「只有我這樣，說也沒有用，別人不會懂的。」

老師和大人的安慰和鼓勵他們聽不進去，他們也不敢和同學分享內心真實的感受。這時候，我們能做的就是找到一本書。我相信從古至今，一定有一個人曾經歷他所經歷的、感受他所感受的，一定有個靈魂了解他，安慰他。這或許不能解決眼前的問題，但至少可以讓孩子覺得，原來有人跟我一樣，不只有我感受到這種孤單和無助。

在《曾經，閱讀救了我》書中作者梁語喬提到透過閱讀可以更智慧的面對人生。她說有時候不知道該怎麼辦的時候、難過的時候，她會看看書，想著：「或許，我可以從別人累積智慧的文字中，看看有沒有我沒想過的想法，有沒有一條我還不知道的路可以走。」16

我想起近期閱讀的一本兒少小說《我是比比比利》。17 比利是個患有口吃的孩子，在群體當中他有一套隱藏自己的方法：第一，不當第一，將注意力集中在其他人身上。第二，不做墊底，不要當最後進教室的人，不要當最後交卷的人，讓自己隱藏在人群中間。第三，不要說話，不要說話就不會被注意。

他覺得自己跟別人都不一樣，然而卻不知道其實每個同學都有自己正在面對的困難。透過課堂其他同學的分享，比利發現自己不是孤單的，每個同學都有自己的故事。原來有一位同學左耳聽不見，需要戴助聽器，靠判讀唇語讀懂別人的話；原來另一位同學曾經有一個妹妹，出生一小時就去世了。

我們常常覺得一個人的勇敢很渺小，但每個人小小的勇敢聚在一起，好像自己的勇敢也變大了。透過閱讀，可以讓孩子小小的勇敢慢慢變大。

小兔子書坊店主黃淑貞曾說，閱讀青少年小說就是一種情感學習，從主角的內心，反芻自己的內心，進而模仿學習解決問題的路徑。透過小說裡的故事，讓孩子有機會去映照自己的人生。知道自己並不孤單，知道一切還有希望。那些孩子不願說出口的，讓我們用故事接住傷痕背後的求救，用故事揭開苦難背後的祝福。

1 艾登・錢伯斯《打造兒童閱讀環境》（天衛文化，2014）。
2 許慧貞《最後抱他的人》（寶瓶，2020）。
3 引自未來 Family 網站 (https://futureparenting.cwgv.com.tw/family/content/index/22941)。
4 郝明義《越讀者》（網路與書出版，2017）。
5 林怡辰《從讀到寫，林怡辰的閱讀教育：用閱讀、寫作，讓無動力孩子愛上學習》（親子天下，2019）。
6 查理・麥克斯《男孩、鼴鼠、狐狸與馬》（天下雜誌，2022）。
7 金今善《塔木德親子財富課：向猶太人學致富，從小開始》（遠流出版，2022）。
8 唐鳳，楊倩蓉《唐鳳的破框思考力：關於工作、學習與行動的方法》（天下文化，2022）。
9 高島徹志《不熬夜，不死背，睡前1分鐘驚人學習法》（時報出版，2013）。
10 沃克（Matthew Walker）《為什麼要睡覺？：睡出健康與學習力、夢出創意的新科學》（天下文化，2019）。
11 金今善《塔木德親子財富課：向猶太人學致富，從小開始》（遠流出版，2022）。
12 郝明義《越讀者》（網路與書出版，2017）。
13 尚瑞君《剛剛好的距離：設立關愛界線，家有青少年的親子相處指南》（時報出版，2022）。
14 劉馥寧（芬妮 Fannie）《練習不聽話：30代女子的心靈獨立之旅，成就自己，也找回剛剛好的母女關係》（遠流，2022）。
15 王雪岩《父母並非不愛你，卻又讓你傷痕累累的「隱性虐待」：如何療癒童年傷痕，走出原生家庭所給的痛苦情緒》（方言文化，2022）。
16 梁語喬《曾經，閱讀救了我：現在，我用閱讀翻轉一群孩子》（寶瓶文化，2015）。
17 海倫・拉特（Helen Rutter）《我是比比比利》（親子天下，2023）。

第5章

不一樣的圖書館長

5-1 學習當館長——能力是過程中長出來的

——「我不是不會，我只是還沒學會。」

在擔任圖書館長之前，我並沒有在圖書館工作的相關經驗。一般而言，鄉鎮圖書館的館長，有圖書專業背景的人只佔非常非常少數。也就是說，我們必須「邊做邊學」。

記得剛接任館長的第一年，我大都承襲前一任館長的做法，並在工作中反思：如果這裡這樣調整會不會更好？遇到工作上的問題，我也會打電話向其他鄉鎮的資深館長請教，參考他們的做法，思考是否適合在自己的圖書館推行。

近年來《心態致勝》這本書非常有名，作者是美國史丹佛大學心理學教授卡羅．杜維克（Carol Deweck）。她針對成功和失敗的人做了大量研究，研究結果發現成功者和失敗者在心態上有明顯的差異。她提出了兩種思維模式：「成長性思維」（Growth Mindset）和「固定性思維」（Fixed Mindset）。[1]

這兩種思維模式的主要差別在於：擁有固定性思維的人，認為智力和才能是與生俱來的，是固定不變的；擁有成長性思維的人，則認為智力和能力是可以透過努力和學習提升的。

這樣的思維模式會反映在行為上。一旦遇到超過自己能力的挑戰，固定性思維的人就會認為「我就是不會」、「我做不到」、「努力也沒有用」，直接選擇放棄。相反地，成長性思維的人，會認為「我雖然現在不會、雖然現在做不到，但只要我慢慢學習，就可以學會」，而願意選擇試試看、挑戰看看。

擔任館長的段日子，我常常提醒自己保持成長性思維，面對那些不會的事物，我告訴自己：「我不是不會，我只是還沒學會。」

實作是最好的練習

我記得接到圖書館長派令的時候是六月底，馬上迎來七八月的暑假。暑假是學校的淡季，是圖書館的旺季。在疫情尚未發生前，暑假就是圖書館的周年慶，滿滿的人潮，滿滿的活動。

辦理活動很重要的一個部分是製作海報，一張海報可以把所有活動的重要訊息放在上面，吸引大家的注意力，達到宣傳活動的效果。

在以往的工作經驗中，如果有製作海報的需要，通常會找廠商設計和印刷。等廠商設計出來後，如果有哪裡不滿意，或是需要調整，都必須請廠商修改，而且總是來來回回修改好幾次。

接任館長之後，我發現圖書館的活動和課程非常多，幾乎每個禮拜都有活動在進行。以往和廠商的合作方式在圖書館活動並不適用。總不能每個禮拜、每一張海報都給廠商設計吧？加上數位社群時代來臨，海報的重點已經不在於印出來張貼，而是放在網路上宣傳。

於是我開始練習自己製作海報，最現實的問題就是我不會使用海報軟體。我記得剛開始我是用 PPT 來做海報，把海報當簡報做。雖然不是太美觀，看起來就像簡報，不像海報，但有總比沒有好。就這樣我渡過了第一年的暑假，用醜醜的海報，宣傳著圖書館的活動。

後來和一位朋友聊天，她是一家獨立書店的店主，她跟我分享她是使用「Canva」這個軟體做海報，免費版就有許多素材可以使用，於是我開始了 Canva 的學習之路。

《知識複利》的作者高永祺曾說：「以前的學習是步槍，瞄準了再發射；現在的學習是飛彈，先發射再慢慢瞄準。」[2]

學習做海報這件事，我並沒有花錢補習或花錢去上課，而是選擇從實作開始。我相信，實作就是最好的練習。因為工作上立即需要用到，我在登入之後便開始自己摸索各種功能。

最初我都是直接套用模板，字體大小、顏色、位置、插圖通通都不變，純粹改文字。把標題、時間、地點等訊息改成自己要的。後來我慢慢發現怎麼調整位置、怎麼插入照片、怎麼調整字體、怎麼變換顏色，便開始照自己的需求和想法調整。

當館長的這幾年來，每一張海報我都自己設計，按照自己的想法編排。從剛開始只能套用模板、抽換文字；現在已經可以加上講師的照片、出版著作、將照片去背等等。

最好的學習，應該從實作開始，遇到問題再想辦法解決。不用期待一次做到一百分，先做出六十分的樣子，不會的再去查資料、請教別人，慢慢的你的東西會進步到八十分。做第一張海報，會覺得自己是菜鳥；當你做一百張之後，你就變成專家。

後來有些同事朋友很喜歡我做的海報，都會特別詢問我用什麼軟體製作，打開手機直接下載軟體。然而後來他們並沒有做出任何一張海報，原因是他們用不到。學習的關鍵在於派得上用場，不需要立即使用就很難有學習的動機。

圖書館的多元閱讀推廣活動，有一部分是針對零至五歲的幼兒，活動性質是唱跳和律動。或是其他需要大家上台說話、表演之類的課程，只有拍照是不夠的，還必須錄影。錄影後一段段的影片存在手機裡該怎麼呈現呢？這時候就需要影片剪輯的技巧。

影片剪輯好像很專業，不是很容易自學。於是我辦了一場圖書館影片剪輯課，邀請專業的老師來教大家如何使用手機APP剪輯拍攝的影片。這堂課我也跟著老師的操作步驟學習，在兩個小時的課程後，我學會了怎麼剪接影片、上字幕、配音樂。

雖然只學會最基本、最陽春的操作，但要剪輯出一個三到五分鐘的成果影片已經不成問題。相較於本來只有照片的靜態成果，加上影片的動態成果，我們已經跨出了一大步。學習新的事物，我們不需要一次就做到一百分，請相信「完成比完美重要」。

館長的斜槓能力

因為圖書館小、經費有限，很多事情都必須館長自己來——自己想活動、自己約講師，自己做海報、自己寫文案，自己跑學校、自己跑社區，自己講導覽、自己做簡報……簡直要求十項全能。

我在圖書館工作之後，我發現圖書館其實都很努力辦理各種課程和活動，不管是講故事、講座、主題書展……等等，課程非常非常地豐富和多元。但每一場次的活動效果好像僅限於該場次有參與的人，時間過了，一切就船過水無痕，好像什麼都沒發生過。

你可能會說，圖書館的每一場活動的成果，年底的時候都會呈現在年度成果報告裡面。但成果報告呈現出來的只有場次、人次，感受不到其中的故事和溫度。更何況成果報告只有上級長官、評鑑委員看，但在社群上的分享和曝光，可以讓普羅大眾看到。前者不是我們閱讀推廣的對象，後者才是。

我一直覺得這樣非常可惜，我們應該透過文字、照片、影片記錄這些活動的歷程，然後整理和呈現在社群媒體上，讓其他沒有參與到的朋友，也知道圖書館在做什麼事。如果有些朋友對這些課程感興趣，下次他就會留意報名訊息來參加。

或許，有些人從來不曾走進圖書館，圖書館這三個字甚至不在他人生的字典裡面。對於這一群用不到圖書館的人，透過社群媒體讓他們至少知道圖書館在做些什麼。或許有一天他會發現：其實圖書館有我想知道的事，有可以滿足我需要的地方。

我所服務的圖書館還算蠻常有機會在媒體曝光，某一天我在館長室接到一位讀者的電話，電話那頭的聲音聽起來是一位中年男子。他指名要找館長，於是我接起他的電話。他質問道：「我常常在電視上看到妳，為什麼都採訪妳的圖書館？」我向他說明之後，他口氣感覺緩和了一些，接著他問我：「要怎麼辦借書證？可以借幾本書？」

後來我沒有再接過他的電話，或許他已經成為我們的讀者，從一位只在電視看到圖書館新聞的人，變成一位自己走進圖書館借書的人。

能力是在過程中長出來的

我很喜歡攀岩家陶德・史基納說過的一句話：「不論抵達前做過多少準備，你都不會知道全部的答案，只有在爬上山頂的過程中，才能抵達抵達山頂所需的進步。」[3]也就是說，能力不是一開始就帶在身上，而是在過程中長出來的。

《有一種工作，叫生活》書中也提到類似的觀念，作者說：「勇敢上路，是消除聲音的唯一途徑。並不是儲備了勇氣才出發，而是在過程中漸漸長出勇氣。」[4]

每一次在撰寫和規劃下個年度圖書館計畫的時候，常常覺得自己已經江郎才盡，變不出什麼新花樣，但還是選擇勇敢上路，勇敢嘗試。在實踐的過程中，能力不知不覺就長出來，對自己的自信和勇氣也長出來了。

少女凱倫在《15分鐘寫出爆紅千字文》書中引用了詩人兼設計師，奧斯汀・克隆的一句話：「很多人想成為名詞，卻不在動詞上下功夫。」過程是動詞，結果是名詞。唯有在動詞上下功夫，我們才能成為我們想要的名詞。[5]

5-2 寫作力，就是你的影響力

擔任公職，許多人會認為是個綁手綁腳、限制很多的工作。大部分的人都覺得公務員就是心態保守，照本宣科、沒有創意。某種程度而言，確實是如此。

直到我讀到了《內在原力》這本書，書中的一個篇章講到「利他」的觀念。一般我們認為的利他比較像是行善，感覺必須是有錢人，或是有影響力的人才能做到的事。不過作者愛瑞克是這樣解釋利他的：「透過演講、著作、擔任公職，加倍利他效果。」6

當時演講和著作這兩項離我很遙遠，但擔任公職卻是我正在做的事。雖然只是個小小的圖書館長，但我不能小看自己在圖書館可以發揮的價值和影響力；儘管我非圖書館專業出身，少了一些專業基礎、理論框架，但也因此能試著用不一樣的方式經營圖書館。

像是未成年人借書證的申請，以往都是要父母帶孩子到櫃台申辦。事實上許多父母周末忙碌，或根本不重視孩子的教育。那麼這個孩子可能永遠都沒辦法辦一張自己的借書證。

於是我自己設計表單，透過學校夾聯絡簿發出，請家長簽名同意孩子申請借閱證。大部分的家長都會同意，我們把借書證辦好再送回學校。這份表格我分享給縣府，也分享給其他圖書館。大家在各自的鄉鎮圖書館提高辦證率，一起把「閱讀」這塊餅做大。

愛瑞克說：「利他的比例要和年紀成正比。」

隨著年紀的增長，隨著工作年資的增加，照道理說我們的影響力應該會越來越大。英國前首相邱吉爾（Winston Churchill）曾說：「你能面對多少人說話，未來就有多大的成就。」

這段話最近常常在我腦中出現。一天，我能對多少人說話？老公、孩子、公婆、同事、孩子的老師。這些話又是些什麼話？提醒老公接孩子，催促孩子出門、提醒記得帶東西，跟公婆講一下孩子學校的事，和同事討論工作。如果你是全職媽媽，孩子還在牙牙學語，你能說話的人就更少了。

相較於別人說話是傳遞思想、捍衛價值、改變政策、影響生命，我們說話的內容好像只是練習肌肉、製造聲響。一句話講和不講，差別不大。在閱讀《寫作，是最好的自我投資》[7]這本書的時候，我發現，除了用嘴巴說話，我們還有更好的方式——文字。

在資訊化的時代，我們更常用文字與人溝通。「雖然身為一個職業婦女、地方媽媽，能說話的對象有限，也許我可以透過文字和更多人說話。」我這麼想著，於是開始敲起鍵盤。

不需要長官交辦，沒有列入圖書館評鑑，但透過文字記錄生活這件事情，對我而言不是壓力，反而可以從中獲得快樂和成就感。透過文字的紀錄，幫助我回首來時路，看到自己的成長，發現自己原來已經走得這麼遠。寫作也幫助我釐清自己的思緒，看見一件事情背後的價值和意義。我開始思考：如果我寫下的文字對我自己有幫助，是否也可以對別人有幫助呢？

少女凱倫在《15分鐘寫出爆紅千字文》這本書提到，開始寫作之前，重要的是思考「你是誰」。觀察自己身邊的細節你所認為簡單的事，在別人眼裡可能是一套專業。[8]

我想到自己開始寫作的時候，純粹是想要記錄圖書館工作的點點滴滴，遇到暖心或可愛的故事，就很想把它寫下來。圖書館這個看似很無聊的地方，卻有著我們平常意想不到的小故事，分享之後意外引起了不少人的共鳴。我並非圖書館界最專業的人，但我卻是願意花時間記錄和分享的人。

就像這本書令我最印象深刻的一句話：「這個世界不缺專業的人，缺的是分享者。」

輸出，才是最好的輸入

腦中思緒紊亂的時候，當你開始靜下心來書寫，心會變得澄澈、寧靜。原本的不確定、不安定，也會慢慢找到明確的方向。因為看了這本書，體驗到寫作的樂趣，我小時候作文從來沒得獎過，更別說那種美麗的詞藻。

我覺得可以在鍵盤上敲敲打打，把想法一一爬梳、紀錄，感覺很好。詩人羅伯特・佛羅倫斯曾說：「寫作的藝術，就是把褲子放進椅子裡的藝術。」[9]當我開始把褲子放進椅子裡，開始寫作的時候，這些文字的堆疊，不知不覺中也讓我留下自己的作品。

《內在原力》作者愛瑞克我們要想辦法在人生中留下自己的作品，並且把自己知道的分享出去。將自己知道的分享出去並且尋求回饋，成為自己改善和進步的動力，是超越自己最好的方法。

受到這個觀念的影響，我不僅是寫作記錄圖書館發生的小故事，我開始始寫一系列關於圖書館工作的文章，從怎麼和學校合作、怎麼辦線上講座、怎麼推動閱讀……等。雖然感覺好像每個圖書館都在做一樣的事，但卻沒有人去紀錄這點點滴滴。

沒想到這些經驗竟然獲得許多圖書館同仁的共鳴。在全台各個圖書館工作的我們，一直堅守在各自的崗位上，認真的做著自己的工作，卻甚少有交流機會。因為我的書寫，一間小鎮圖書館的日常，映照出許多圖書館不同的樣貌，開啟了大家彼此學習和討論的空間。

要在工作之餘，花時間整理、寫作和記錄，其實是一件耗時又費力的事。但我知道如果想要卓越（outstanding），必須先站出來（stand out）。我相信，唯有作品可以活得比作者本人更久，讓一個人的思想可以超越時空，影響世世代代。

寫作很耗費精神和時間，當下看似枯燥乏味；但唯有將工作經驗和心得記錄下來，再回頭看，才能看見在時間的洪流中有我們步行的軌跡。寫作的過程就像是蚌殼的眼淚，但當我們持續記錄，這些眼淚會變成珍珠。

如同歐陽立中老師在二〇二二年故事跨年中所分享的「所有的利他，都將以另一種方式歸來。」以為是給出去的，最後都會回到自己身上。持續寫作、持續發表，看起來像是無償的付出，但最後得到最多的，就是我自己。

5-3

找到定位：從館長到館長小編

剛開始我只是懷著滿腔熱血，想到什麼寫什麼。直到後來我讀到何則文《成就未來的你》這本書，他引用美國前第一夫人蜜雪兒歐巴馬的話：「如果你不先站出來定義你自己，很快地別人會用很不精確的定義為你代勞。」10

我開始思考如果我想要寫一本書，那麼我和別人哪裡不一樣。為了找定位，我開始閱讀跟個人品牌相關的書籍。在李洛克《個人品牌獲利》這本書中，我找到了答案。書中提到「先鎖定一個明確的領域」，會讓人更容易留下印象。11

我發現大部分有關閱讀的書，都是從學校老師的角度撰寫。從學校的視角去看閱讀這件事。然而，公共圖書館扮演著全民閱讀推手的角色，卻好像沒有一個人從公共圖書館的角度去談閱讀。

當我開始這樣思考，我便知道自己該從哪裡出發——我應該站在公共圖書館的角度，記錄圖書館裡發生的大小事，記錄那些圖書館工作者覺得稀鬆平常，但對大眾而言卻覺得新奇有趣的故事。

找到初步的定位之後，我繼續思考：全台灣有這麼多圖書館，有這麼多館長。單純叫「館長」也太普通了。該怎麼樣給自己一個獨一無二的頭銜呢？

因為在小鎮圖書館工作，從圖書採購、推廣活動、館舍修繕、讀者服務，所有的工作都必須自己想辦法。儘管有館員的協助，但大部分的工作還是要由館長起頭。剛接任館長的時候，我創立了圖書館的臉書粉絲團，連小編都是自己當，自己做海報、自己寫文案。

如果說這樣的角色我們在校園中，會稱他為「校長兼撞鐘」，那麼在圖書館裡的我，應該可以叫「館長兼小編」了吧！就這樣，我找到了「館長小編」的定位，是館長也是小編。

當你坐到一個主管的位置，其實很不容易聽到真實的聲音。大部分圍繞在你身旁的人，都只會說你想聽的好聽話，而不是真正有建設性或幫助的話。如果是比較大的機關團體，身為領導者很難聽到基層的聲音，這些聲音會在科層制度層層的遞送中消失不見。

但我發現：透過經營「館長小編」粉專，讀者可以直接留言給我，直接和我分享他的看法。不論他是一個經常使用圖書館的讀者、學校的老師，或是一樣是圖書館的工作者，我們都能擁有直接對話的機會，有時候大家提供的想法和做法，都讓我覺得「以前怎麼沒有這樣想過？」

原來寫作不僅是發表個人看法和抒發情感，而是蒐集資訊和意見的平台。而最終這些建議和回饋，又會回到自己身上，成為自己生命的養分。館長小編，今後也請大家多多指教。

5-4 推動閱讀是一場無限遊戲

擔任館長這些年來，我發現推動閱讀，不能只是待在圖書館裡面等人進來，而是必須自己先走出去。想辦法和學校、和社區、和其他單位合作。推動閱讀不能單打獨鬥，而是必須打群架，大家一起來。

可惜目前各部門對於推動閱讀的評鑑方式，大都關注在圖書館的借閱率。因此圖書館開始盯著借閱率，想盡辦法辦各種活動提升借閱量。然而，這幾年工作下來我發現，想要推動閱讀，不能只是看借閱量的數字，而是必須有一個更大的目標和願景。

記得前幾年剛開始推動國立公共資訊圖書館的電子書資料庫，當時有一些鄉鎮圖書館開始跳腳，反映電子書的借閱量不算在自己的圖書館裡面，如果鄉鎮圖書館協助電子書的推廣，這樣反而會降低圖書館實體書的借閱率。

在和學校合作的過程當中，我也曾遇到類似的問題：學校不願意讓圖書館把書送進校園裡面，理由是學校要衝自己圖書室的借閱量；校方擔心如果孩子都看圖書館的書，那學校圖書室的借閱量就會不好看。

在我看來，這些考量並非沒有道理，但只能說他們把閱讀推廣當成了一場有限遊戲，只看一個年度的評鑑成績，只計算一間圖書館的績效。

然而，我認為閱讀推廣應該是一場無限遊戲，評鑑不是遊戲的終點站，只是其中一個停靠站。

我在賽門西奈克《無限賽局》這本書當中，學習到「有限賽局（finite game）」和「無限賽局（infinite game）」的概念。12

書中是這樣定義的：只要有兩位玩家，賽局就成立。而賽局又可以區分為「有限賽局」和「無限賽局」兩種。

「有限賽局」指的是有既定、已知的玩家，以及固定的規則。大家事前都有共識，達成某個目標後，賽局就結束了。比如說二〇二二年底舉辦的世界盃足球賽、二〇二三年初舉辦的世界經典棒球賽，這些都屬於有限賽局。

相反地，「無限賽局」的玩家有些可以能已知，有些未知，沒有明確或事先同意的規則。雖然可能有慣例或規定來約束玩家行為，但玩家在這個寬鬆的範圍內想怎麼行動都可以。玩家也可以打破慣例，來進行這場賽局，全由玩家自己決定。重點是，無限賽局沒有時間限制，沒有終點線，沒有真正的結束，也沒有人能真的「贏得」一場無限賽局。

推廣閱讀屬於有限賽局，還是無限賽局呢？

傳統的閱讀推廣，圖書館跟圖書館比、學校跟學校比、規則就是看誰的藏書量、借閱量、辦證量越高就是贏家，每一年評鑑後列等排名，一個回合結束後開啟下一個回合。這種有限遊戲的玩法，使得各個閱讀推廣的單位都獨善其身閉門造車，反正只要確保這一回合的勝利就好。閱讀推廣真正的對人們生命的影響不重要，評鑑的數字比較重要。

我認為現在與未來的閱讀推廣，應該是一場無限賽局。玩家可能有公共圖書館、有學校、有社區、有NGO團體等等，大家各有各自的規則，但在這個大範圍內我們想怎麼行動都可以。也就是公共圖書館可以和學校圖書館合作，學校書館可以和社區合作，社區也可以跟社團合作。

像是我們和隔壁國小合作的下課十分鐘計畫，如果從有限賽局的思維來看，學校感覺像是吃虧的一方，因為當孩子都往公共圖書館跑，學校圖書室的借閱率可能因此下降；然而，學校卻不這麼想。從無限思維的角度來看，和公共圖書館合作創造了孩子愛上閱讀的另一個契機，當一個孩子走進閱讀的世界，他的閱讀範圍會越來越廣。不會只看公共圖書館的書，而不在自己學校圖書室借書。

一個在無限賽局的成功者，通常在有限賽局的表現也不會太差。

教育部閱讀磐石獎是校園推動閱讀的最高殿堂。隔壁的小學將和圖書館合作的下課十分鐘計畫當作校園閱讀推廣的特色，參加閱讀磐石獎的比賽。學校請我們協助提供這段時間和學校合作的一些成果資料，讓他們一併呈現在比賽當中。

學校將公共圖書館視為閱讀推廣的隊友，而不是對手。當我們願意攜手合作，我們才能把閱讀推廣玩成無限賽局。借閱率是算在誰頭上不是最重要的，閱讀有沒有真的進入人們的生命才是最重要的。

我曾看過一個小故事，有一隻小獅子問他的媽媽：「幸福在哪裡？」

「幸福就在你的尾巴上。」獅子媽媽回答。於是小獅子不停的追著自己的尾巴，但追了一整天也追不到。獅子媽媽見狀，笑著告訴他：「幸福是不必刻意去追尋的。只要你往前走，幸福就會一直跟在你後面。」

如同唐鳳在《唐鳳的破框思考力》中提到：「以共好取代競爭，與他人共同成就彼此。」[13]我認為閱讀推廣也是如此。閱讀推廣的績效不必刻意追尋，只要你心中有讀者，把眼光放遠一點，不只看到一個年度、一間圖書館、一間學校的成績表現，而是看到大家攜手共同努力的成果，你想要的好成績、好名次、好表現自然會隨之而來。

1 卡蘿・杜維克（Carol S. Dweck）《心態致勝：全新成功心理學》（天下文化，2019）。
2 何則文，高永祺《知識複利：將內容變現，打造專家型個人品牌的策略》（遠流，2022）。
3 資料來源：https://sylin.tw/2021/09/22/present-to-the-world/
4 曾彥菁 Amazing《有一種工作，叫生活》（遠流，2020）。
5 少女凱倫《15分鐘寫出爆紅千字文：拆解文章高點閱、高轉發的吸睛原理，讓寫作興趣成功變現的自我實踐專書》（幸福文化，2022）。
6 愛瑞克《內在原力：9個設定，活出最好的人生版本》（新樂園，2019）。
7 陳立飛（Spenser）《寫作，是最好的自我投資：百萬粉絲公眾號操盤手，首創「注意力寫作」法，教你寫出高質量文章，讓流量變現金！》（遠流，2019）。
8 同5。
9 引用自《寫作，是最好的自我投資》。
10 何則文《成就未來的你：36堂精準職涯課，創造非你不可的人生！》（悅知文化，2020）。
11 李洛克《個人品牌獲利：自媒體經營的五大關鍵變現思維》（如何，2020）。
12 賽門・西奈克（Simon Sinek）《無限賽局：翻轉思維框架，突破勝負盲點，贏得你想要的未來》（天下雜誌，2020）。
13 唐鳳，楊倩蓉《唐鳳的破框思考力：關於工作、學習與行動的方法》（天下文化，2022）。

第6章

成為你想看到的改變

6-1 成為你想看到的改變

印度聖雄甘地曾說：「成為你想要在世界上看到的改變。」

你希望你的孩子成為什麼樣子，先成為那個樣子；你希望你的學生成為什麼樣子，先成為那個樣子。你希望這個社會成為什麼樣子，先成為那個樣子。

我期待我們的孩子都有機會走進一間圖書館，有機會打開一本書，有機會遇見一個可以給予協助的大人。

如同藍偉瑩《教育，我相信你》一書所說：「大人有義務成為下一代的示範者。」[1]這樣的示範不只是一個家庭或是一間學校的責任，而是不分職業階級，每個大人都是示範者。當年輕人總說我不想成為像你們一樣的大人時，每一個大人也許要反問自己：「你成為自己理想中的大人了嗎？」

在圖書館工作的我，我希望自己成為一位閱讀的人，相信閱讀可以讓人們遇見更好的自己。我希望自己成為一位幫助別人的人，讓圖書館成為人們生命中的驛站，在書本中歇腳、在閱讀中喘息、在文字中重新得力。

出發，才能抵達

從來都沒有想過，一個小鎮的圖書館長，可以走出自己的鄉鎮，走出自己的縣市，用可以用文字走進人們的心裡。

李惠貞在《給未來的讀者》這本書中，提到村上春樹在二〇〇四年一段訪談中對《巴黎評論》的回應：「當我開始寫一篇作品的時候，腦子裡並沒有一張藍圖，我總是邊寫邊等待故事出現。我並沒有事先想好故事的類型和故事情節，我等著故事發生。」[2]

剛開始當館長的時候，我也不知道自己可以往哪裡去。我唯一知道的是：唯有出發，才知道自己能走多遠。唯有出發，故事才能發生。

如同中世紀波斯詩人魯米曾說的一句話：「當你踏上旅途，路就會自己展現。」

有人問我，閱讀活動的點子從哪裡來？與其說是我絞盡腦汁想點子，更貼切的說法是「點子自己找上門」。

常常在跟別人談話、研習或閱讀中，新的想法就會自己出現。一旦有新的想法，不去做會覺得很痛苦，只要條件許可，都會很想嘗試看看。通常當你開始做的時候，貴人自動出現，一切就這樣發生了。

《牧羊少年奇幻之旅》書中說：「當你真心渴望某樣東西時，整個宇宙都會聯合起來幫助你完成。」我相信，當你出發的時候，宇宙會為你開路。

幸運的 Luck key

當館長的這些年，我始終讓自己保持開放的態度，遇到不會的工作，就打電話向其他圖書館請教；珍惜每一次研習的機會，認真筆記，充實專業知識；把握每一次和學校或社區談話的機會，親自拜訪互相認識，就算沒有合作機會也沒關係。

人際關係學大師戴爾．卡內基（Dale Carnegie）曾說：「成功來自於85%的人脈關係，15%的專業知識。」我就這樣認識了好多人，結交了好多朋友。

書本沒有腳，但我們有。圖書館的書不會自己走出圖書館，唯有透過我們走出去，才有機會把圖書館的資源和美好傳遞出去。

如同《送書人》書中說到「因為書本需要有人引路，帶他們走向正確的方向，找到懂它們的人。」[3]在圖書館工作的我們，正是那個引路人。

蘋果創辦人賈伯斯（Steve Jobs）曾說：「我們無法預先把眼前發生的點點滴滴串聯起來，唯有在未來回顧過往時，我們才會明白那些點點滴滴是如何串聯在一起的。」

無論是我們遇見的人，或是經歷的事情。當下或許不明白它的意義，但當再回頭看的時候，才發現這些點點滴滴都是生命的養分。

在圖書館工作，我覺得自己無比幸運。

幸運的英文是Lucky，在我看來，在圖書館工作就是一把Luck key（幸運的鑰匙）。那些不曾學過的，我在書本裡找答案，人生的如果是一場考試，所有的考試都是open-book的。那些曾經錯過的童年，因著陪伴孩子閱讀，重新長大一次。

做一件只有你能做的事

鮮乳坊創辦人龔建嘉的著作《做一件只有你能做的事》，書中的一句話令我深深感動：「你注定要做一件只有你能做的事！」身為獸醫的他，運用自己的專業，開始了一場牛奶的革命「自己的牛奶自救。」從一個人到一群人，用一瓶牛奶改變一個產業。[4]

我在思考，在我的生命中，應該也有一件「只有我能做的事」。人生或許有很多生不逢時、身不由己的時刻，但我想上帝創造我們每個人如此的不同，必定有一件只有我們能做的事。

現階段在一間小鎮當圖書館長，我想我能做的就是看見每一個走進圖書館內讀者的需要。圖書館像是人生的驛站，在不同的生命階段都可以在圖書館內找到一本書、遇見一個人，讓他們覺得可以喘口氣，可以找到一點勇氣再出發。

一場牛奶的革命，從一位獸醫開始；一場閱讀的革命，從一間圖書館開始。

英國劇作家奧斯卡．王爾德（Oscar Wilde）曾說：「做你自己，因為其他人都已經有人做了。」在上帝的字典裡，沒有複製和貼上這兩個詞，每個人都是獨一無二的創造。

別想著和別人一樣，好好珍惜自己的與眾不同，你的優勢不在於和別人一樣，而在於和別人不一樣。只需要做你自己，相信在你的生命當中，一定有一件只有你能做的事。

6-2

「沒有」不是一份限制，而是一份禮物

當館長快四年，連續三年獲得教育部「整體閱讀力表現績優城市」的獎項。真的沒有想過，在一個偏鄉小鎮的公共圖書館工作，還有三個年幼的孩子。偏鄉沒有資源，媽媽沒有時間，這些都是別人可以諒解，理所當然過得平平凡凡、普普通通的理由。

歐陽立中《飄移的起跑線》說：「你現在將就，你的人生也就醬了。」儘管身在公門、身為母職、身在偏鄉，我知道「我不想將就」。[5]

在這個大家覺得一個機關最不重要的職位上，我很努力想要做些什麼。因為公部門職務無法自己選擇，隨時可能會調動，所以很珍惜在圖書館工作的每一天。想做的事趕快做，想辦的活動趕快辦，避免自己在館長的職位上留下遺憾。

「火星爺爺」許榮宏因幼時罹患小兒麻痺，導致他此生不良於行，但仍努力闖出自己的一片天。在他的《我在地球的奇異旅程》一書中，有一句話令我非常感動：「讓一個人走不遠的，不是他的雙腳，而是他對這個世界不夠好奇。」[6]

在我們的種種角色當中，我們常常給自己一個角色的框架。一位母親應該是什麼樣子，在圖書館工作應該是什麼樣子。我們努力的活在框架裡面，卻夢想著框架外的理想生活。

或許我們應該做的，是保持一顆好奇心，再多跨出一步，看看框架外的世界。然而當必須做出改變和調整的時候，我們又會開始說：「可是我沒有……。」沒有人力、沒有預算、沒有時間等等。

火星爺爺在 TEDxTaipei 的演說《別只看「沒有」，向你的困境借東西》，也引用了阿里巴巴集團創辦人馬雲的話。馬雲說：「阿里巴巴的成功是因為沒有錢、沒有技術、沒有計畫。」[7]

火星爺爺以他自己為例，八個月大時因發燒延誤就醫，變成小兒麻痺。七歲之前只能在地上爬行。歷經兩次大手術，才能勉強穿上特製高跟鞋用拐杖走路。但他卻說：「我雖然沒有你方便，但你的天使沒有我這麼多。」走在路上，總是有人主動為他提行李、為他撐傘。

儘管他的行動不方便，但他泳渡日月潭兩次，當過MV男主角，還可以經常一個人出國自助旅行。我必須很汗顏的說，這些經歷我都沒有。火星爺爺說：「我發現沒有你方便這件事，完全阻止不了我豐盛。」

身在公門、身為母職、身在偏鄉，或許真的沒那麼自由，多了許多限制。然而，抱著一顆好奇心，走出自己的舒適圈，你會發現天使就在旁邊。

身為公共圖書館，我們有公務預算來推動閱讀，不像書店、出版社或其他團體需要擔心財源問題。身為母親，因為陪著孩子閱讀，我知道孩子們喜歡看什麼書，採購這些書籍放在圖書館裡面。身為母親，我知道家長們的煩惱是什麼，應該舉辦什麼樣的講座。身在偏鄉，一間小小的圖書館，反而更有機會貼近讀者，看見他們的需要。

「沒有不是一份限制，沒有是一份禮物。」火星爺爺說。

與其找藉口說自己做不到，找理由告訴別人是環境不允許。也許，我們真正應該做的，就是跨出那一步試試看，試著把那個沒有的東西創造出來。我們一起「向沒有借東西」，我相信借久了，就變成你的了。

（P.S. 只有圖書館的書，不管你借多久，都是圖書館的，請記得還書。）

6-3

寫給館員的一封信

光陰似箭，三年過去了。不會的就向其他資深館長請教；有想法就跟館員討論，試著做做看。能走到今天，一路上有許多貴人相助。感謝首長和主管給我很大的空間，讓我在圖書館盡情發揮創意和想法。

另外，當然要感謝館員對我的包容與接納，他們會接受我的想法，想辦法完成任務，從來不會抱怨或擺臉色給我看。事情交辦下去，不需要催促，東西就會自動上傳到群組。有時候工作忙，交代完自己就忘了，但是他們都記得。

讀者走進一間圖書館，不一定會遇到館長，但一定會接觸到館員。館員才是圖書館最不可或缺的靈魂人物。如果圖書館工作是一場賽車比賽，最關鍵的角色，不是開車的賽車手，而是進到維修站，換輪胎團隊的工作人員。0．1秒的差距，就在這裡。

某天，看著周末線上活動讀者給的回饋，突然有些話想要跟館員說，本來只是寫一小段，很直覺的一直寫，越寫越長。以下是我寫給館員的一封信：

整理了一下昨天課程讀者的回饋，我想我們做的不只是一份工作而已，在圖書館工作能發揮的影響力，比我們想像的更大。

除了影響這一個世代，更是影響下一代。謝謝有你們這群好夥伴，可以一起努力，我們繼續加油。

目前雲林只有少數圖書館線上課程開得起來。我們甚至做到同步直播，讓成果留下來，讓更多人可以在平台上看到。讓影響力持續，不會因為一堂課結束就結束了。

圖書館在轉變，從一次性的課程體驗，慢慢走向線上教學的模式。

這段日子真的要非常謝謝大家，勇敢走出自己的舒適圈，從製作報名表、開會議室，到 obs 直播系統都學會了，真的很不容易。

「如果沒有你們，就沒有今天圖書館的樣子。」
感謝大家的體諒和包容，接納我常常想東想西，做這個做那個，謝謝你們都盡力達成任務。再次感謝大家。

有一次我印象非常深刻，當時才剛開始嘗試臉書同步直播。當我下午提早到圖書館準備的時候，才發現館員沒吃午餐，拿著抄得密密麻麻的筆記本，跟著步驟設定直播。

到了上課前五分鐘，發現還是沒有辦法搞定，於是請分館的館員馬上接手，順利在課程開始前設定好直播。

我負責兩間圖書館，一間本館一間分館，在開線上課程的時候，我會讓兩邊一起參與。如果負責報名、開會議室的是本館，那當天的直播工作就由分館負責。我希望兩間圖書館的館員，可以彼此支援，互相幫忙。人力不足的時候也會兩邊互相支援，我真的很感謝有這麼一群不計較的夥伴。讓我在管理人的方面不需要費心，可以把焦點都放在推廣閱讀的工作上。

我不曉得館員看到這些話會怎麼想，但我真的想要表達感謝，也想讓他們知道在圖書館工作的價值。

曾經有人跟我說：「館長，我說難聽一點，圖書館是一個機關最不重要的部門。」我知道對方沒有惡意，也曾耳聞有些地方將圖書館當作外放主管的好去處。這些首長認為館長誰當都沒差，反正圖書館只是圖書館。幸運的是，我的長官不這麼想，所以他把我放在這個位置上。

閱讀不像造橋鋪路，立竿見影；閱讀不像發放補助，錢入口袋；閱讀不像大型晚會，煙火絢爛。

《小王子》書中有句說：「真正重要的東西，用眼睛是看不見的。」並非其他部門的工作不重要，而是圖書館和每個部門一樣重要。

我們各自扮演不同的角色，在各自的領域努力。當大家拿著籃子準備採收的時候，我們正在默默耕耘、辛苦灌溉，等待十年後綠葉成蔭的那一天。重點是這過程並非單打獨鬥，有一群願意付出的館員，我們一起突破困難，一起前進。

別再說圖書館工作很涼，如果你是館員你就會知道，在圖書館工作要很強，你說是不是呢？

正是有館員的身影，才得以描繪出圖書館的輪廓。讀者不一定會認識館長是誰，但他們一定認得館員是誰。館員的態度決定了這間圖書館的樣子，是微笑迎接、熱心協助；還是面無表情、敷衍了事。

我曾看過一個小故事，三個砌磚工人，正在豔陽下工作。

路過的人，問了第一個工人：「你在做什麼？」
第一個工人回答：「我在砌磚啊！」
路人問第二個工人：「你在做什麼？」
第二個工人回答：「我在賺錢養家啊！」
路人問第三個工人：「你在做什麼？」
第三個工人回答：「我在為上帝蓋一間宏偉的大教堂！」

如果今天場景在圖書館內，
一位讀者問在圖書館工作的館員：「你在做什麼？」
也許有的館員會回答：「我在整理書啊！」
有的館員會回答：「我在賺錢養家啊！」
我想在我圖書館工作的館員的回答是：「我在傳遞幸福給每個需要的讀者！」

每天面對成堆的書來來去去，手中刷槍的嗶嗶聲不絕於耳。讀者從書架取下想要閱讀的書到櫃台借書，經過一段時間，讀者再將書拿回櫃台還書。

借了又還，還了又借，穿梭在書架間，每天重複著同樣的動作。看似每天都一樣，就像是第一個砌磚工人，把一個磚頭又一個磚頭往上疊。

最近和學校有許多聯繫，有感而發決定把心得記錄下來，和公共圖書館的夥伴們分享。這些過程當中，除了由我出面和學校聯繫接洽之外，更重要的是館員們的全力配合。

拿到一大借書證申請單的時候，沒有人抱怨，馬上開始一張一張 key 資料。一個上午就辦好六十幾張，連學校都驚訝我們的效率。當學校或安親班申請「校園書箱 bookpanda」選書的時候，也是全體動員開始找書，討論哪一本比較適合哪個年級。

如果沒有這些館員，我有再多的想法也是枉然。感謝上帝給我這群好夥伴，我真的好喜歡在圖書館工作。

1 藍偉瑩《教育，我相信你》，P.178（天下文化，2020）。

2 李惠貞《給未來的讀者》，P.172（維摩舍文教事業有限公司，2020）。

3 卡斯騰・赫恩《送書人》（皇冠，2022）。

4 龔建嘉等，謝其濬《做一件只有你能做的事：從一個人到一群人，鮮乳坊用一瓶牛奶改變一個產業》（天下文化，2022）。

5 歐陽立中《飄移的起跑線：「不公平」是人生的本質，讓「瘋狂學習」練就你最強的特質！》（悅知文化，2022）。

6 火星爺爺《我在地球的奇異旅程》（火星酷股份有限公司，2022）。

7 別只看「沒有」，向你的困境借東西：火星爺爺（許榮宏）Logan Hsu at TEDxTaipei 2014（https://www.youtube.com/watch?v=j_t0XIFoCjU）

後記

「最能改變你人生的書，就是你寫的那一本。」

——賽斯．高汀（Seth Godin），《為什麼你該寫一本書？》

不知道從什麼時候開始，有了寫書的想法。人生短短數十載，我到底想留下些什麼。我記得我曾在蔡淇華老師臉書上看到一句話：「你必須活成經典，只有經典，可以活得比作者久。」

我不確定自己是否可以活成經典，但我認為我應該可以寫一本書。這一本書，肯定可以活得比我在這世上的歲月還要久。

感動一個人就夠了

決定寫一本書之後，首要工作是盤點自己臉書上近兩年的文章，從文章中找尋靈感和記憶。首先要感謝我的大女兒，她利用暑假的時間，幫我將兩年來的臉書文章重新彙整成檔案，這工作看似簡單，卻非常花時間。要不是她為我披荊斬棘，先開出一條看似可以走的路，我才能勇敢的繼續寫下去。

書寫的過程中，並不如想像中順利。冒牌者症候群時時找上門來：你寫這些東西有誰會想看？當我開始自我懷疑的時候，我想起林怡辰老師在書寫她第一本書的時候，也曾有一樣的自我懷疑。

她在《從讀到寫》的作者序中寫到「希望這本書的價值是，有某個人、某個時間，被我的書打動，希望可以給現在有同樣的困境的靈魂，看見光的存在和撫慰。」[1]

她的文字鼓舞了我，給了我書寫的勇氣。我的文字不需要感動每一個人，但它一定可以感動某一個人。只要有一個人能在這本書中找到感動和安慰，我想這樣就足夠了。

媽媽努力的身影

寫作的過程像是個秘密任務，不敢讓別人知道，因為我怕最後無法完成。這些日子推進我寫作進度的，是我的三個孩子。他們三不五時就問起：「媽媽你的書寫好了沒？媽媽你的書什麼時候會出版？」

雖然說寫書不是什麼大事，但也不是什麼小事，要花費不少時間和心力。有多少個周末總是在電腦前寫作，有多少次在朋友間聚會都是帶著筆電在餐敘的空檔繼續寫作。

帶著孩子們的期待，我書寫著。我想讓孩子看見媽媽努力的身影，讓他們知道凡事都要付出努力和代價，媽媽也為了自己的夢想拚盡全力。期許我的孩子們也勇敢追夢，為自己的夢想拚搏。

當你真心渴望

《牧羊少年奇幻之旅》書中說：「當你真心渴望某樣東西時，整個宇宙都會聯合起來幫助你完成。」

這段日子我真心感受到宇宙的幫助。

感謝鎮長看見閱讀的價值，看見圖書館的重要性。沒有將圖書館長當成一個誰來當都沒差的職位，而是把適合的人放在適合的位置上，讓小鎮圖書館可以在全國發光發熱。

感謝主管們一直給我很大的空間，讓我勇敢嘗試各種推動閱讀的計畫。感謝館員們，他們是我最得力的助手，接納我各種突發其想做法，想辦法解決問題，達成我想要的目標。

感謝鎮上的每間學校，總是對圖書館敞開大門。無論是圖書館走入校園，或是學校帶著孩子們走入圖書館，讓圖書館變成孩子們的日常。

尤其是隔壁土庫國小的關校長，關校長推動閱讀不遺餘力。「下課十分鐘」計畫，開創了圖書館和學校全新的合作模式。打破場域的限制，超越主管機關的壁壘。閱讀沒有藩籬，閱讀沒有界線，讓閱讀回歸閱讀。

感謝每一位走進圖書館的讀者們，如果沒有你們，圖書館就只是個倉庫。因為你們，書本才可以出門旅行；因為你們，圖書館故事才可以述說下去。

感謝我的家人們，你們是我內心安定的力量，謝謝你們給我無條件的包容和接納。最後要感謝上帝，謝謝上帝賜給我所有的一切，將一切榮耀歸予神。

1 林怡辰《從讀到寫，林怡辰的閱讀教育：用閱讀、寫作，讓無動力孩子愛上學習》（親子天下，2019），P.21。

附錄

館長選書

給老師、家長和孩子的好書推薦

（一）

館長選書：給老師的50本書單

1 心態致勝：全新成功心理學（卡蘿・杜維克，天下文化）

2 教學的技術（王永福，商周出版）

3 為未來而教：葉丙成的BTS教育新思維（葉丙成，親子天下）

4 從讀到寫，林怡辰的閱讀教育：用閱讀、寫作，讓無動力孩子愛上學習（林怡辰，親子天下）

5 小學生年度學習行事曆：班級經營×教學備課×親師溝通，一本搞定！（林怡辰，親子天下）

6 大腦喜歡這樣學：先認識自己的大腦，找到正確的思考路徑，就能專注、不拖延，提高記憶力，學會如何學習（芭芭拉・歐克莉，木馬文化）

7 刻意練習：原創者全面解析，比天賦更關鍵的學習法（安德斯・艾瑞克森、羅伯特・普爾，方智）

8 讓天賦自由（肯・羅賓森、盧・亞若尼卡，天下文化）

9 Learn Better學得更好（烏瑞克・鮑澤，方智）

10 你的善意，是孩子的光：有教無淚，從愛出發，神老師的陪伴全教養（神老師&神媽咪（沈雅琪），平安文化）

11 修補生命的洞：從原生家庭出發，為童年療傷（胡展誥，寶瓶文化）

12 擁抱刺蝟孩子：重啟連結、修復情感、給出力量的關鍵陪伴與對話（陳志恆，圓神）

13 脫癮而出不迷網：寫給網路原生世代父母的教養書（陳志恆，圓神）

14 大器可以晚成：當世界沉迷年少得志，耐心是你成功的本事（里奇・卡爾加德，先覺）

15 學思達增能：張輝誠的創新教學心法（張輝成，親子天下）

16 仙女老師的有溫度課堂：讓學生不想下課的教學和班級經營心法（余懷瑾，商周出版）

17 不怕輸，就怕放棄：仙女老師教你說自己的故事，走出你要的結局（余懷瑾，商周出版）

18 用IG思維，做自己的學涯設計師：100天書寫，學習歷程絕對出色！（陳坤平，親子天下）

19 青春正效應：新世代應該知道的人生微哲學——探索自我、友誼、學習、愛情、人生的50個夢想核爆點！（蔡淇華，天下文化）

20 青春微素養：36個通往更理想自己的基本功（蔡淇華，親子天下）

21 青春動力學：41個喚醒內在原力，找到夢想支點的起手式（蔡淇華，親子天下）

22 寫作吧！一篇文章的生成（蔡淇華，時報出版）

23 教育，我相信你（藍偉瑩，天下文化）

24 故事課1：3分鐘說18萬個故事，打造影響力（許榮哲，遠流）

25 讓大象動起來：以學思達啟動差異化教學和自主學習，成就每一個孩子（劉繼文，天下文化）

26 別讓世界定義你：用5個新眼光開始企畫屬於你的勝利人生（何則文，遠流）

27 個人品牌：斜槓時代成就非凡的7個自品牌經營守則（何則文，遠流）

28 成就未來的你：36堂精準職涯課，創造非你不可的人生（何則文，悅知文化）

29 學校沒教，但一定要懂的地緣政治課：從地球儀開始的國際大局觀（田中孝幸，野人）

30 順勢溝通：一句話說到心坎裡！不消耗情緒，掌握優勢的39個對話練習（張忘形，遠流）

31 療癒26顆破碎的心：怡慧老師的閱讀課（宋怡慧，寶瓶文化）

32 飄移的起跑線：「不公平」是人生的本質，讓「瘋狂學習」練就你最強的特質！（歐陽立中，悅知文化）

33 人生有限，你要玩出無限：在個體崛起時代，展現「一軍」突起的軟實力（歐陽立中，悅知文化）

34 習慣紅利：從工作管理到人生管理，從微小改變到人生蛻變（艾爾文，三采）

35 極度吸睛：上台不冷場，重量級講師教你的精準說話課（曾培祐，遠流）

36 表達吸睛：從個人到小組，重量級講師教你的升級說話課（曾培祐，遠流）

37 最後抱他的人（許慧貞，寶瓶文化）

38 自主學習成就解鎖：帶你找到最想學．打造獨有學習歷程（葉士昇，親子天下）

39 原子習慣：細微改變帶來巨大成就的實證法則（詹姆斯・克利爾，方智）

40 內在原力：9個設定，活出最好的人生版本（愛瑞克，新樂園）

41 如何改變一個人：華頓商學院教你消除抗拒心理，從心擁抱改變（約拿・博格，時報出版）

42 唐鳳的破框思考力：關於工作、學習與行動的方法（唐鳳、楊倩蓉，天下文化）

43 刻意放鬆：25個壓力調節練習，找回安定的內在（胡展誥，遠流）

44 誰都可能呼攏你，但是數學不會：SUPER教師引路，讓人生開外掛的38則思考筆記（黃光文，親子天下）

45 你的夢想可能有點風險：YouTuber六指淵，帶你找到屬於自己的人生副本（六指淵（陸子淵），親子天下）

46 成為溫美玉：從偏鄉女孩到資深良師，30年教學心法與人生智慧 溫美玉融合教學與人生體悟高峰之作（溫美玉，天下文化）

47 橘色惡魔的弱弱指導法：由弱者指導弱者，才能孕育出不可動搖的堅強實力（田中宏幸，遠流）

48 閱讀的方法：找到文明世界中，本該如此的我（羅振宇，圓神）

49 遊戲人生72變：線上．實體遊戲教學一本通（莊越翔，商周出版）

50 場外人生：運動員送給迷惘的我們20種力量（曾荃鈺，健行）

（二）

館長選書：給家長的50本書單

1 父母的語言：3000萬字，給孩子更優質的學習型大腦（丹娜・蘇斯金，親子天下）

2 繪本教養地圖 孩子需要的繪本180選（海狗房東，三采）

3 閱讀裡的生命教育：從繪本裡預見美麗人生（劉清彥，親子天下）

4 最動人的教育：用共讀來教養，用教養來共讀（亮語夫妻，愛米粒）

5 用繪本跟孩子談重要的事：能獨立思考的孩子，到哪裡都能過得好（幸佳慧，如何）

6 小學生高效學習原子習慣：拆解8大策略×23個實作心法，引導孩子學習如何學（趙胤丞，親子天下）

7 小學生年度學習行事曆：班級經營×教學備課×親師溝通，一本搞定！（林怡辰，親子天下）

8 怡辰老師的高效時間管理課：心態×概念×工具，打造恆毅力的人生複利心法（林怡辰，親子天下）

9 薩提爾的親子對話：每個孩子，都是我們的孩子 從實戰經驗淬鍊超強親子對話（李儀婷，天下文化）

10 薩提爾的親子情緒課：以愛的對話，陪孩子走過情緒風暴（李儀婷，天下文化）
11 薩提爾的故事溝通：陪孩子練習愛，在愛中學習成長（李儀婷，遠流）
12 一句教養：化解親子衝突，用薩提爾對話連結內心渴望（李儀婷，親子天下）
13 羅寶鴻的安定教養學：蒙特梭利、薩提爾、阿德勒，看懂孩子內在需求，培養正向、自信、穩定好性格（羅寶鴻，親子天下）
14 正向聚焦：有效肯定的三十種變化，點燃孩子的內在動力（陳志恒，親子天下）
15 擁抱刺蝟孩子：重啟連結、修復情感、給出力量的關鍵陪伴與對話（陳志恒，圓神）
16 脫癮而出不迷網：寫給網路原生世代父母的教養書（陳志恒，圓神）
17 說不出口的，更需要被聽懂：11個暖心對話練習，走進孩子的心（胡展誥，遠流）
18 心理韌性：顛覆起跑點迷思，教出有耐挫力、熱情與目的感的孩子（陳品皓，親子天下）
19 暫停情緒風暴：大人不心累，孩子不受傷，第一時間化解情緒衝突與對立（陳品皓，禾禾文化）
20 從讀書到考試，你可以更好！找回動力、高效學習，提高成就感的學霸5大科致勝筆記（未秧Winter、湛樺，寫樂文化）
21 不敗學習力：學霸都在用的10大聰明讀書法（劉軒，未來出版）
22 成為更好的自己：未來少年的18堂心理必修課（劉軒，未來出版）
23 越早學越好！給女兒的性教育：從身體發育到遠離性暴力，陪伴女兒安心長大的55個性教育解答（金民英，大樹林）
24 越早學越好！給兒子的性教育：從認識身體到網路性暴力，一次解答兒子會遇到的56種性教育問題（李錫遠，大樹林）

25 引導孩子說出內心話：不說教的情商課，讓親子都被好好理解（澤爸（魏瑋志），如何）

26 轉念的力量：不被念頭綁架，選擇你的人生，讓心靈自由（賴佩霞，天下文化）

27 家有青少年之父母生存手冊：看懂孩子省話、衝動、敏感背後的祕密（彭菊仙，天下文化）

28 家有青少年之爸媽的33個修練：你那愈來愈陌生的孩子，該怎麼溝通？（彭菊仙，天下文化）

29 先陪伴，再教養：讀懂孩子不愛念書、手機滑不停背後的困境，校園心理師給青春期父母的27則心法（蔡宜芳，寶瓶文化）

30 孩子的人生成長痛，小說有解：用好故事陪孩子走過徬徨時刻（羅怡君，如何）

31 你的管教，能讓孩子成為更好的大人：從他律到自律，小熊媽暖心而堅定的教養法（小熊媽（張美蘭），時報出版）

32 為管教立界線：翩翩老師的25個心法，引導孩子邁向獨立（何翩翩，親子天下）

33 青春不是突然就叛逆：校園心理師第一手觀察，看懂青少年憂鬱、難相處、無法溝通背後的求救訊號（陳雪如，親子天下）

34 讓天賦自由（肯・羅賓森、盧・亞若尼卡，天下文化）

35 發現天賦之旅（肯・羅賓森，天下文化）

36 與成功有約：高效能人士的七個習慣（史蒂芬・柯維、西恩・柯維，天下文化）

37 與成功有約最後一堂課：柯維的向上心態（史蒂芬・柯維、辛希雅・柯維・海勒，天下文化）

38 男孩、鼴鼠、狐狸與馬（查理・麥克斯，天下雜誌）

39 教養是合作：阿德勒陪你探索最適親子關係，讓共好成為家庭日常（李家雯（海

蒂），悅知文化）
40 剛剛好的管教：放心與放手，讓孩子長出自信和力量（尚瑞君，時報出版）
41 剛剛好的距離：設立關愛界線，家有青少年的親子相處指南（尚瑞君，時報出版）
42 在黑暗的日子裡，陪伴是最溫暖的曙光：大熊貓與小小龍的相伴旅程（詹姆斯・諾柏瑞，時報出版）
43 致富心態：關於財富、貪婪與幸福的20堂理財課（摩根・豪瑟，天下文化）
44 習慣致富：成為有錢人，你不需要富爸爸，只需要富習慣（湯姆・柯利、麥可・雅德尼，遠流）
45 我是對的！為什麼我不快樂？：終結煩煩惱惱的幸福密碼（江宏志，橡樹林）
46 富小孩與窮小孩：給現代青少年的24堂財務思維課（郝旭烈，三采）
47 按下暫停鍵也沒關係：在憂鬱症中掙扎了一年，我學到的事（阿滴（都省瑞），如何）
48 我在地球的奇異旅程（火星爺爺，火星酷股份有限公司）
49 人生路引：我從閱讀中練就的28個基本功（楊斯棓，先覺）
50 這一生，你想留下什麼？：史丹佛的10堂領導課（約翰・漢尼斯，天下文化）

(三)

館長選書：給孩子的5大分類書單

繪本作家

- 工藤紀子
- 宮西達也
- 五味太郎
- 林明子
- 長谷川義史
- 岩井俊雄
- 吉竹伸介
- 安東尼・布朗
- 艾瑞卡爾
- 賴馬
- 湯姆牛
- 王淑芬
- 陳致元
- 劉旭恭

- 蔡兆倫
- 林小杯
- 幸佳慧
- 劉清彥
- 郝廣才
- 唐唐
- 黃郁欽、陶樂蒂
- 米雅
- 劉思源
- 李明足

橋梁書

- 字的童話套書（林世仁、哲也，親子天下）
- 字的神話套書（林世仁，小天下）
- 字的傳奇套書（林世仁，親子天下）
- 爆笑小火龍生活成長故事系列（哲也，親子天下）
- 小熊兄妹的點子屋系列（哲也，親子天下）
- 神奇柑仔店系列（廣嶋玲子，親子天下）
- 魔法十年屋系列（廣嶋玲子，親子天下）
- 妖怪托顧所系列（廣嶋玲子，步步）
- 雷思瑪雅少年偵探社系列（馬丁・威德馬克，米奇巴克）

- 三個問號偵探團系列（晤爾伏・布朗克、波里斯・菲佛，親子天下）
- 吸墨鬼來了系列（艾力克・尚瓦桑，小天下）
- 神奇樹屋系列（瑪麗・波・奧斯本，小天下）
- 妖怪醫院系列（富安陽子，親子天下）
- 檸檬水戰爭系列（賈桂林・戴維斯，親子天下）
- 西奧律師事務所系列（約翰・葛里遜，遠流）
- 君偉上小學系列（王淑芬，親子天下）
- 愛思考的貓巧可系列（王淑芬，親子天下）
- 就是愛球類運動！讓你技巧進步的漫畫圖解籃球、棒球、足球百科（松野千歌、田中顯、能田達規，小熊出版）
- 快閃貓生活謎語童話（顏志豪，親子天下）
- 用點心學校系列（林哲璋，小天下）
- 小四愛作怪系列（阿德蝸，小兵）

科普、歷史類

- 達克比辦案系列（胡妙芬，親子天下）
- 科學實驗王系列（Story a.，三采）
- 明日數學王系列（Gomdori.co，三采）
- 超科少年套書（楊仕音、胡佳伶、好面、馮昊，親子天下）
- X尋寶探險隊系列（李國權，小角落文化）
- X萬獸探險隊系列（X探險隊故事團，大邑文化）

- X恐龍探險隊系列（李國靖、阿比，大邑文化）
- 科學不思議套書（吉谷昭憲、犬塚則久、松岡徹、高柳芳惠、小波秀雄，親子天下）
- 圖解科學大驚奇系列（美馬野百合，親子天下）
- 少年讀台灣套書（許耀雲、吳立萍、賴佳慧，未來出版）
- 漫畫大英百科系列（BomBom Story，三采）
- 世界歷史探險系列（Gomdori.co，三采）
- 漫畫三國演義套書（One Production，三采）
- 尋寶記系列（Gomdori co.，三采）
- 可能小學系列（王文華，親子天下）
- 如果歷史是一群喵系列（肥志，野人）

兒少小說、圖像小說

- 橡皮擦男孩（麗莎・湯普森，小樹文化）
- 金魚男孩（麗莎・湯普森，小樹文化）
- 墓園女孩（麗莎・湯普森，小樹文化）
- 說謊男孩（麗莎・湯普森，小樹文化）
- 仙人掌女孩（達斯蒂・寶林，親子天下）
- 我是比比比利（海倫・拉特，親子天下）
- 黑暗中的願望（克莉絲汀娜・蘇恩托瓦，小魯文化）
- 江湖，還有人嗎？（張友漁，遠流）
- 一箭之遙（張友漁，遠流）

- 西貢小子（張友漁，親子天下）
- 我的同學是一隻熊（張友漁，親子天下）
- 天地方程式系列（富安陽子，親子天下）
- 少年廚俠系列（鄭宗弦，親子天下）
- 殺戒三部曲（尼爾・舒斯特曼，博識圖書）
- 分解人四部曲（尼爾・舒斯特曼，博識圖書）
- 獵書遊戲（珍妮佛・夏伯里斯・貝特曼，親子天下）
- 修煉系列（陳郁如，小兵）
- 仙靈傳奇系列（陳郁如，親子天下）
- 小王子（安東尼奧・聖修伯里）
- 禁書圖書館（艾倫・葛拉茲，小天下）
- 童話陪審團（法律白話文運動，親子天下）
- 那些散落的星星（維多莉亞・傑米森、歐馬・穆罕默德，親子天下）
- 三腳征服者系列（約翰・克里斯多夫，博識圖書）
- 移動島傳奇系列（凱瑟琳・艾波蓋特，小麥田）
- 手斧男孩系列（蓋瑞・伯森，野人）
- 羅德・達爾系列（小天下）
- 少年一推理事件簿系列（（翁裕庭，遠流）
- 別告訴愛麗絲（凱西・卡瑟迪，親子天下）
- 皮克威克奶奶（貝蒂・麥唐納，小麥田）
- 長襪皮皮系列（阿思緹・林格倫，小麥田）

個人成長

- 晨讀10分鐘系列（親子天下）
- 13歲就開始系列（親子天下）
- 我們為什麼要讀書？為什麼要工作？：為了得到幸福，希望你能好好思考這些事（池上彰，采實文化）
- 牧羊少年奇幻之旅（保羅・科爾賀，時報出版）
- 小王子（安東尼奧・聖修伯里）
- 誰都可能呼攏你，但是數學不會：SUPER教師引路，讓人生開外掛的38則思考筆記（黃光文，親子天下）
- 你的夢想可能有點風險：YouTuber六指淵，帶你找到屬於自己的人生副本（六指淵（陸子淵），親子天下）
- 只是開玩笑，竟然變被告？：中小學生最需要的24堂法律自保課（吉靜如，三采）
- 飄移的起跑線：「不公平」是人生的本質，讓「瘋狂學習」練就你最強的特質！（歐陽立中，悅知文化）
- 人生有限，你要玩出無限：在個體崛起時代，展現「一軍」突起的軟實力（歐陽立中，悅知文化）
- 就怕平庸成為你人生的注解（歐陽立中，天下文化）
- 故事學：學校沒教，你也要會的表達力（歐陽立中，國語日報）
- 青春正效應：新世代應該知道的人生微哲學──探索自我、友誼、學習、愛情、人生的50個夢想核爆點！（蔡淇華，天下文化）
- 青春微素養：36個通往更理想自己的基本功（蔡淇華，親子天下）

- 青春動力學：41個喚醒內在原力，找到夢想支點的起手式（蔡淇華，親子天下）
- 你怎麼沒愛上你自己（陳志恆）
- 不敗學習力：學霸都在用的10大聰明讀書法（劉軒，未來出版）
- 成為更好的自己：未來少年的18堂心理必修課（劉軒，未來出版）

(四)

電子書資料庫

不要小看你家旁邊那間小小的圖書館，你手上這張小小的借書證，除了可以在自己所在地的公共圖書館借書之外，也是通往電子書資料庫的鑰匙。

目前有部分全國性的電子書資料庫和各縣市公共圖書館介接，只要你手邊有一張鄉鎮市區公共圖書館借書證，直接鍵入借書證的帳號密碼，即可使用電子書資源。

以下介紹兩個常用的電子書資料庫：「國立公共資訊圖書館電子書服務平台」和「台灣雲端書庫」。

這兩個電子書資料庫藏書都相當豐富，有電子書也有電子雜誌可供借閱。閱讀方式除了使用網頁版可在電腦上閱讀，也可下載ＡＰＰ使用手機和平板閱讀。

國立公共資訊圖書館電子書服務平台

https://ebook.nlpi.edu.tw/

・可同時借閱八冊，每本電子書借期十四日，到期後系統自動歸還。
・如無人預約，得續借一次，期限自續借當日起十四天。
・可預約四冊，預約保留天數七日。

台灣雲端書庫

https://www.ebookservice.tw/

・每一本書不受借閱冊數的限制，可同時供多人無限借閱，無須預約排隊。
・每本電子書借期十四日，到期後系統自動歸還。
・借閱點數（點數）依各縣市雲端書庫規定。

療心圖書館

小鎮圖書館長告訴你閱讀改寫人生，遇見幸福的祕密

作者　彭冠綸（館長小編）
內頁插圖　摘星星的女孩 lucy
執行編輯　顏妤安
行銷企劃　劉妍伶
封面設計　周家瑤
版面構成　賴姵伶
發行人　王榮文
出版發行　遠流出版事業股份有限公司
地址　台北市中山北路一段 11 號 13 樓
客服電話　02-2571-0297
傳真　02-2571-0197
郵撥　0189456-1
著作權顧問　蕭雄淋律師
2023 年 4 月 30 日　初版一刷
定價新台幣 380 元

ISBN　978-957-32-9996-7
遠流博識網　http://www.ylib.com
E-mail: ylib@ylib.com
（如有缺頁或破損，請寄回更換）

國家圖書館出版品預行編目（CIP）資料

療心圖書館 / 彭冠綸 (館長小編) 著 . -- 初版 . -- 臺北市 : 遠流出版事業股份有限公司 , 2023.04
面；　公分
ISBN 978-957-32-9996-7(平裝)
1.CST: 鄉鎮圖書館 2.CST: 公共圖書館 3.CST: 臺灣

026.63　　　112000981